DE VEGAN VAN TOFU, SEITAN EN TEMPEH RECEPTEN

100 nieuwste recepten van over de hele wereld om je veganistische en vegetarische leven nog rijker te maken

Sten Schipper

INVOERING

Als je je eiwitbronnen wilt combineren met plantaardige krachtpatsers, zoek dan niet verder dan Tofu, een eenvoudig te bereiden veganistische of vegetarische optie. Tofu is flexibel qua koken. Dit komt omdat het in verschillende texturen verkrijgbaar is (afhankelijk van hoeveel water eruit wordt geperst) en behoorlijk flauw is. Omdat het relatief smakeloos is, past het goed bij andere smaken zonder ermee te concurreren.

Tofu, ook bekend als tahoe, is een voedingsmiddel dat wordt bereid door sojamelk te laten coaguleren en de resulterende wrongel vervolgens in stevige witte blokken van verschillende zachtheid te persen; het kan zijdezacht, zacht, stevig, extra stevig of super stevig zijn. Naast deze brede categorieën zijn er veel soorten tofu. Het heeft een subtiele smaak, waardoor het gebruikt kan worden in hartige en zoete gerechten. Het wordt vaak gekruid of gemarineerd, afhankelijk van het gerecht en de smaken ervan, en vanwege de sponsachtige textuur absorbeert het de smaken goed.

Als je er nog nooit mee hebt gewerkt, kan het koken van tofu een hele klus zijn. Maar als je er eenmaal een beetje over leert, kan het niet eenvoudiger zijn om tofu goed te bereiden! Hieronder vind je de lekkerste en makkelijkste recepten die jij als een pro kunt bereiden!

Eenvoudige tips voor het koken van tofu:

- Zorg ervoor dat u de juiste textuur selecteert. In supermarkten varieert het van zijdeachtig tot stevig en extra stevig. Zachte zijden tofu zou mijn keuze zijn om in desserts te mengen of in misosoep te snijden, maar als je het als hoofdgerecht serveert of op kommen legt, heb je extra stevig nodig. Het heeft een stevigere, dichtere textuur en minder watergehalte dan andere soorten tofu. Let op: ik koop het liefst biologische tofu, gemaakt zonder genetisch gemodificeerde sojabonen.

- Druk erop. Tofu bevat veel water en je wilt het meeste eruit persen, vooral als je het bakt, grilt of frituurt. Tofu-persen zijn verkrijgbaar in de winkels, maar het is niet noodzakelijk om er een te hebben. Je kunt een stapel boeken gebruiken, of gewoon doen wat ik doe, en deze met je handen lichtjes in een theedoek of keukenpapier drukken. (Zorg ervoor dat je niet te hard duwt, anders zal het afbrokkelen!)

- Kruid. Het. Omhoog. Er is een reden dat tofu kritiek krijgt omdat het flauw is, en dat is omdat het zo is! Zorg ervoor dat je het goed op smaak brengt. Je kunt het marineren of bereiden met een krokant gebakken tofu-recept.

1. Tahoe Met Oestersaus

- 8 ons tahoe
- 4 ons verse champignons 6 groene uien
- 3 stengels bleekselderij
- rode of groene paprika
- eetlepels plantaardige olie 1/2 kopje water
- eetlepel maizena
- eetlepels oestersaus 4 theelepels droge sherry
- 4 theelepels sojasaus

Snij de tahoe in blokjes van 1/2 inch. Champignons schoonmaken en in plakjes snijden. Snij de uien in stukken van 1 inch. Snijd de bleekselderij in diagonale plakjes van 1/2 inch. Verwijder de zaadjes uit de peper en snijd de peper in stukjes van 1/2 inch.

Verhit 1 eetlepel olie in de wok op hoog vuur. Kook de tahoe in de olie, zachtjes roerend, tot hij lichtbruin is, 3 minuten. Haal uit de pan.

Verhit de resterende 1 eetlepel olie in de wok op hoog vuur. Voeg champignons, uien, selderij en paprika toe en roerbak 1 minuut.

Doe de tahoe terug in de wok. Meng lichtjes om te combineren. Meng water, maïzena, oestersaus, sherry en sojasaus. Giet het mengsel in de wok. Kok en

roer tot de vloeistof kookt. Kook en roer nog 1 minuut langer.

2. Gefrituurde Tofu

- 1 blok stevige tofu
- ¼ kopje maizena
- 4-5 kopjes olie om te frituren

Giet de tofu af en snij in blokjes. Bestrijk met de maizena.

Voeg olie toe aan een voorverwarmde wok en verwarm tot 350 ° F. Voeg als de olie heet is de tofuvierkanten toe en frituur tot ze goudbruin zijn. Laat uitlekken op keukenpapier.

Opbrengst 2¾ kopjes

Deze smakelijke en voedzame shake is een ideaal ontbijt- of middagsnack. Voeg voor extra smaak seizoensbessen toe.

3. Gefermenteerde Tahoe Met Spinazie

- 5 kopjes spinazieblaadjes
- 4 blokjes gefermenteerde tahoe met pepers
- Een snufje vijfkruidenpoeder (minder dan 1/8 een theelepel)
- 2 eetlepels olie om te roerbakken
- 2 teentjes knoflook, fijngehakt

Blancheer de spinazie door de bladeren kort in kokend water te dompelen. Grondig laten uitlekken.

Pureer de gefermenteerde tofublokjes en meng het vijfkruidenpoeder erdoor.

Voeg olie toe aan een voorverwarmde wok of koekenpan. Voeg als de olie heet is de knoflook toe en roerbak kort tot het aromatisch is. Voeg de spinazie toe en roerbak 1 à 2 minuten. Doe de gepureerde tahoe in het midden van de wok en meng met de spinazie. Kook door en serveer warm.

4. Gestoofde Tofu

- 1 pond rundvlees
- 4 gedroogde paddenstoelen
- 8 ons geperste tofu
- 1 kop lichte sojasaus
- ¼ kopje donkere sojasaus
- ¼ kopje Chinese rijstwijn of droge sherry
- 2 eetlepels olie om te roerbakken
- 2 plakjes gember
- 2 teentjes knoflook, fijngehakt
- 2 kopjes water
- 1 steranijs

Snijd het rundvlees in dunne plakjes. Week de gedroogde paddenstoelen minimaal 20 minuten in heet water, zodat

ze zacht worden. Knijp voorzichtig om overtollig water te verwijderen en snijd in plakjes.
Snij de tofu in blokjes van een halve centimeter. Meng de lichte sojasaus, donkere sojasaus, konjacrijstwijn, wit en bruin en zet opzij.
Voeg olie toe aan een voorverwarmde wok of koekenpan. Voeg als de olie heet is de plakjes gember en de knoflook toe en roerbak kort tot ze aromatisch zijn. Voeg het rundvlees toe en kook tot het bruin is. Voeg, voordat het vlees gaar is, de tofublokjes toe en bak kort mee.
Voeg de saus en 2 kopjes water toe. Voeg de steranijs toe. Breng aan de kook, zet het vuur laag en laat sudderen. Voeg na 1 uur de gedroogde paddenstoelen toe. Laat nog eens 30 minuten sudderen, of tot de vloeistof is ingedikt. Verwijder indien gewenst de steranijs voor het serveren.

5. Chinese Noedels in Pinda-Sesamsaus

- 1 pond noedels in Chinese stijl
- 2 eetlepels. donkere sesamolie

DRESSING:

- 6 eetl. pindakaas 1/4 kopje water
- 3 eetl. lichte sojasaus 6 eetl. donkere sojasaus
- 6 eetl. tahini (sesampasta)
- 1/2 kop donkere sesamolie 2 eetl. sherry
- 4 theelepel. Rijstwijnazijn 1/4 kopje honing
- 4 middelgrote teentjes knoflook, fijngehakt
- 2 theelepel. gehakte verse gember
- 2-3 eetl. hete peperolie (of hoeveelheid naar eigen smaak) 1/2 kopje heet water

Combineer hete rode pepervlokken en olie in een pan op middelhoog vuur. Breng aan de kook en zet het vuur onmiddellijk uit. Laten afkoelen. Zeef in een kleine glazen container die kan worden afgesloten. In de koelkast bewaren.

GARNERING:

- 1 wortel, geschild
- 1/2 stevige middelgrote komkommer, geschild, gezaaid en in julienne gesneden 1/2 kop geroosterde pinda's, grof gehakt
- 2 groene uien, in dunne plakjes gesneden

Kook de noedels in een grote pan met kokend water op middelhoog vuur. Kook tot het bijna gaar en nog steeds stevig is. Giet onmiddellijk af en spoel af met koud water tot het koud is. Laat ze goed uitlekken en meng de noedels met (2 eetlepels) donkere sesamolie, zodat ze niet aan elkaar plakken.

VOOR DRESSING: combineer alle ingrediënten behalve heet water in een blender en mix tot een gladde massa. Verdunnen met heet water tot de consistentie van slagroom.

Schil voor de garnering het vruchtvlees van de wortel in korte krullen van ongeveer 10 cm lang. Plaats het in ijswater gedurende 30 minuten om te krullen. Meng vlak voor het serveren de noedels met de saus. Garneer met komkommer, pinda's, groene ui en wortelkrullen. Serveer koud of op kamertemperatuur.

6. Mandarijn Noedels

- gedroogde Chinese champignons
- 1/2 pond verse Chinese noedels 1/4 kop pindaolie
- eetlepel hoisinsaus 1 eetlepel bonensaus
- eetlepels Rijstwijn of droge sherry 3 eetlepels lichte sojasaus
- of honing
- 1/2 kopje gereserveerde paddenstoelenweekvloeistof 1 theelepel chilipasta
- 1 eetlepel maizena
- 1/2 rode paprika - in blokjes van 1/2 inch
- 1/2 8 ounce blik hele bamboescheuten, in 1/2 blokjes gesneden, gespoeld en uitgelekt 2 kopjes taugé
- lente-ui - in dunne plakjes gesneden

Week de Chinese champignons gedurende 30 minuten in 1 1/4 kopjes heet water. Terwijl ze weken, breng 4 liter water aan de kook en kook de noedels gedurende 3 minuten. Giet af en meng met 1 eetlepel arachideolie; opzij zetten.

Verwijder de champignons; zeef en bewaar een halve kop van het weekvocht voor de saus. Trin en gooi de stengels van de paddenstoelen weg; Snijd de hoeden grof en zet opzij.

Combineer de ingrediënten voor de saus in een kleine kom; opzij zetten. Los de maïzena op in 2 eetlepels koud water; opzij zetten.

Zet de wok op middelhoog vuur. Als het begint te roken, voeg je de resterende 3 eetlepels arachideolie toe, daarna de champignons, rode paprika, bamboescheuten en taugé. Roerbak 2 minuten.

Roer de saus en voeg deze toe aan de wok, en blijf roeren tot het mengsel begint te koken, ongeveer 30 seconden.

Meng het opgeloste maïzena en voeg dit toe aan de wok. Blijf roeren tot de saus dikker wordt, ongeveer 1 minuut. Voeg de noedels toe en roer tot ze warm zijn, ongeveer 2 minuten.

Breng over naar een serveerschaal en bestrooi met de gesneden lente-ui. Serveer onmiddellijk

7. Tahoe met bonensaus en noedels

- 8 ons verse noedels in Peking-stijl
- 1 stevige tofu van 12 ounce
- 3 grote stengels paksoi EN 2 groene uien
- ⅓kopje donkere sojasaus
- 2 eetlepels zwarte bonensaus
- 2 theelepels Chinese Rijstwijn of droge sherry
- 2 theelepels zwarte rijstazijn
- ¼ theelepel zout
- ¼ theelepel chilipasta met knoflook
- 1 theelepel Hot Chili Oil (pagina 23)
- ¼ theelepel sesamolie

- ½ kopje water
- 2 eetlepels olie om te roerbakken
- 2 plakjes gember, fijngehakt
- 2 teentjes knoflook, fijngehakt
- ¼ rode ui, gehakt

Kook de noedels in kokend water tot ze gaar zijn. Grondig laten uitlekken. Giet de tofu af en snij in blokjes. Kook de paksoi voor door hem kort in kokend water te dompelen en goed uit te lekken. Scheid de stengels en bladeren. Snijd de groene uien diagonaal in plakjes van 2,5 cm. Combineer de donkere sojasaus, zwarte bonensaus, konjacrijstwijn, zwarte rijstazijn, zout, chilipasta met knoflook, Hot Chili Oil, sesamolie en water. Opzij zetten.

Voeg olie toe aan een voorverwarmde wok of koekenpan. Als de olie heet is, voeg je de gember, knoflook en groene uien toe. Roerbak kort tot het aromatisch is. Voeg de rode ui toe en roerbak kort. Duw ze naar de zijkanten en voeg de paksoistelen toe. Voeg de bladeren toe en roerbak tot de paksoi heldergroen is en de ui zacht. Indien gewenst op smaak brengen met ¼ theelepel zout

Voeg de saus in het midden van de wok toe en breng aan de kook. Voeg de tofu toe. Laat een paar minuten sudderen zodat de tofu de saus kan opnemen. Voeg de noedels toe. Meng alles door elkaar en serveer warm.

8. Tofu gevuld met garnalen

- ½ pond stevige tofu
- 2 ons gekookte garnalen, gepeld en ontdaan van darmen
- ⅛theelepel zout
- Peper naar smaak
- ¼ theelepel maizena
- ½ kopje kippenbouillon
- ½ theelepel Chinese Rijstwijn of droge sherry
- ¼ kopje water
- 2 eetlepels oestersaus
- 2 eetlepels olie om te roerbakken
- 1 groene ui, in stukjes van 1 inch gesneden

Giet de tofu af. Was de garnalen en dep ze droog met keukenpapier. Marineer de garnalen gedurende 15 minuten in zout, peper en maïzena.

Houd het hakmes evenwijdig aan de snijplank en snijd de tofu in de lengte doormidden. Snijd elke helft in 2 driehoeken en snijd vervolgens elke driehoek in nog 2 driehoeken. Je zou nu 8 driehoeken moeten hebben.

Snij aan één kant van de tofu een inkeping in de lengte. Vul ¼-½ theelepel garnalen in de spleet.

Voeg olie toe aan een voorverwarmde wok of koekenpan. Als de olie heet is, voeg je de tofu toe. Bak de tofu ongeveer 3-4 minuten bruin, draai hem minstens één keer om en zorg ervoor dat hij niet aan de bodem van de wok blijft plakken. Als je garnalen over hebt, voeg deze dan tijdens de laatste minuut van het koken toe.

Voeg de kippenbouillon, Konjac-rijstwijn, water en oestersaus toe aan het midden van de wok. Aan de kook brengen. Zet het vuur lager, dek af en laat 5-6 minuten sudderen. Roer de groene ui erdoor. Heet opdienen.

9. Tahoe met Szechwan-groente

- 7 ons (2 blokken) geperste tahoe
- ¼ kopje geconserveerde Szechwan-groente
- ½ kopje kippenbouillon of bouillon
- 1 theelepel Chinese Rijstwijn of droge sherry
- ½ theelepel sojasaus
- 4-5 kopjes olie om te frituren

Verhit minimaal 4 kopjes olie in een voorverwarmde wok tot 350 ° F. Terwijl u wacht tot de olie is opgewarmd, snijdt u de geperste tahoe in blokjes van 2,5 cm. Snijd de Szechwan-groente in blokjes. Meng de kippenbouillon en de rijstwijn en zet opzij.

Voeg als de olie heet is de tahoeblokjes toe en frituur tot ze lichtbruin worden. Haal het uit de wok met een schuimspaan en zet opzij.

Verwijder op 2 eetlepels na alle olie uit de wok. Voeg de geconserveerde Szechwan-groente toe. Roerbak gedurende 1 à 2 minuten en duw dan naar de zijkant van de wok. Voeg het kippenbouillonmengsel toe in het midden van de wok en breng aan de kook. Meng de sojasaus erdoor. Voeg de geperste tahoe toe. Meng alles door elkaar, laat een paar minuten sudderen en serveer warm.

10. Gestoofde Tofu Met Drie Groenten

- 4 gedroogde paddenstoelen
- ¼ kopje gereserveerde paddenstoelenweekvloeistof
- ⅔kopje verse champignons
- ½ kopje kippenbouillon
- 1½ eetlepel oestersaus
- 1 theelepel Chinese Rijstwijn of droge sherry
- 2 eetlepels olie om te roerbakken
- 1 teentje knoflook, fijngehakt
- 1 kopje babywortelen, gehalveerd
- 2 theelepels maizena gemengd met 4 theelepels water

- ¾ pond geperste tofu, in blokjes van ½ inch gesneden

Week de gedroogde paddenstoelen minimaal 20 minuten in heet water. Bewaar ¼ kopje van de weekvloeistof.

Snijd de gedroogde en verse champignons in plakjes.

Combineer de gereserveerde champignonvloeistof, kippenbouillon, oestersaus en Konjac-rijstwijn. Opzij zetten.

Voeg olie toe aan een voorverwarmde wok of koekenpan. Voeg als de olie heet is de knoflook toe en roerbak kort tot het aromatisch is. Voeg de wortels toe. Roerbak gedurende 1 minuut, voeg dan de champignons toe en roerbak.

Voeg de saus toe en breng aan de kook. Roer het mengsel van maizena en water door elkaar en voeg het toe aan de saus, terwijl je snel roert om het dikker te maken.

Voeg de tofublokjes toe. Meng alles door elkaar, zet het vuur laag en laat het 5-6 minuten sudderen. Heet opdienen.

11. Met varkensvlees gevulde tofu-driehoeken

- ½ pond stevige tofu
- ¼ pond gemalen varkensvlees
- ⅛theelepel zout
- Peper naar smaak
- ½ theelepel Chinese Rijstwijn of droge sherry
- ½ kopje kippenbouillon
- ¼ kopje water

- 2 eetlepels oestersaus
- 2 eetlepels olie om te roerbakken
- 1 groene ui, in stukjes van 1 inch gesneden

Giet de tofu af. Doe het gemalen varkensvlees in een middelgrote kom. Voeg het zout, de peper en de Konjac-rijstwijn toe. Marineer het varkensvlees gedurende 15 minuten.

Houd het hakmes evenwijdig aan de snijplank en snijd de tofu in de lengte doormidden. Snijd elke helft in 2 driehoeken en snijd vervolgens elke driehoek in nog 2 driehoeken. Je zou nu 8 driehoeken moeten hebben.

Snijd een spleet in de lengte langs een van de randen van elke tofu-driehoek. Vul een ruime ¼ theelepel varkensgehakt in de spleet.

Voeg olie toe aan een voorverwarmde wok of koekenpan. Als de olie heet is, voeg je de tofu toe. Als je gemalen varkensvlees over hebt, voeg dit dan ook toe. Bak de tofu ongeveer 3-4 minuten bruin, draai hem minstens één keer om en zorg ervoor dat hij niet aan de bodem van de wok blijft plakken.

Voeg de kippenbouillon, het water en de oestersaus toe aan het midden van de wok. Aan de kook brengen. Zet het vuur laag, dek af en laat 5-6 minuten sudderen. Roer de groene ui erdoor. Heet opdienen.

12. Cranberrypannenkoekjes met siroop

Voor 4 tot 6 porties

1 kopje kokend water
$^{1}/_{2}$ kop gezoete gedroogde veenbessen
$^{1}/_{2}$ kopje ahornsiroop
$^{1}/_{4}$ kop vers sinaasappelsap
$^{1}/_{4}$ kop gehakte sinaasappel
1 eetlepel veganistische margarine
1 $^{1}/_{2}$ kopjes bloem voor alle doeleinden
1 eetlepels suiker
1 eetlepel bakpoeder

$^1/_2$ theelepel zout
1 $^1/_2$ kopjes sojamelk
$^1/_4$ kop zachte zijden tofu, uitgelekt
1 eetlepel canola- of druivenpitolie, plus meer om te frituren

Giet het kokende water in een hittebestendige kom over de veenbessen en laat ze ongeveer 10 minuten zacht worden. Laat goed uitlekken en zet opzij.

Meng in een kleine pan de ahornsiroop, het sinaasappelsap, de sinaasappel en de margarine en verwarm op laag vuur, al roerend om de margarine te laten smelten. Blijf warm. Verwarm de oven voor op 225 ° F.

Meng de bloem, suiker, bakpoeder en zout in een grote kom en zet opzij.

Meng de sojamelk, tofu en olie in een keukenmachine of blender tot alles goed gemengd is.

Giet de natte ingrediënten bij de gedroogde ingrediënten en meng met een paar snelle bewegingen. Vouw de zachte veenbessen erdoor.

Verhit op een bakplaat of grote koekenpan een dunne laag olie op middelhoog vuur. Schep $^1/_4$ kopje tot $^1/_3$ kopje van het beslag op de hete bakplaat. Kook tot er kleine belletjes aan de bovenkant verschijnen, 2 tot 3 minuten. Draai de pannenkoek om en bak tot de tweede kant bruin is, ongeveer 2 minuten langer. Leg de gekookte pannenkoeken op een hittebestendige schaal en houd ze warm in de oven terwijl je de rest bakt. Serveer met sinaasappel-ahornsiroop.

13. Met soja geglazuurde tofu

Maakt 4 porties

- 1 pond extra stevige tofu, uitgelekt, in plakjes van $^{1}/_{2}$ inch gesneden en geperst
- $^{1}/_{4}$ kop geroosterde sesamolie
- $^{1}/_{4}$ kopje rijstazijn
- 2 theelepels suiker

Dep de tofu droog en plaats deze in een ovenschaal van 23 x 33 cm en zet opzij.

Meng de sojasaus, olie, azijn en suiker in een kleine pan en breng aan de kook. Giet de hete marinade op de tofu en laat 30 minuten marineren, keer hem één keer om.

Verwarm de oven voor op 350 ° F. Bak de tofu gedurende 30 minuten en draai hem halverwege een keer om. Serveer onmiddellijk of laat afkoelen tot kamertemperatuur, dek af en zet in de koelkast tot je het nodig hebt

Tofu in Cajun-stijl

Maakt 4 porties

- 1 pond extra stevige tofu, uitgelekt en drooggedept
- Zout
- 1 eetlepel plus 1 theelepel Cajunkruiden
- 2 eetlepels olijfolie
- $^{1}/_{4}$ kop gehakte groene paprika
- 1 eetlepel gehakte selderij
- 2 eetlepels gehakte groene ui

- 2 teentjes knoflook, fijngehakt
- 1 blikje tomatenblokjes, uitgelekt
- 1 eetlepel sojasaus
- 1 eetlepel gehakte verse peterselie

Snijd de tofu in plakjes van 1/2 inch dik en bestrooi beide kanten met zout en 1 eetlepel Cajun-kruiden. Opzij zetten.

Verhit 1 eetlepel olie in een kleine pan op middelhoog vuur. Voeg de paprika en selderij toe. Dek af en kook gedurende 5 minuten. Voeg de groene ui en knoflook toe en kook, onafgedekt, 1 minuut langer. Roer de tomaten, sojasaus, peterselie, de resterende 1 theelepel Cajun-kruidenmengsel en zout naar smaak erdoor. Laat 10 minuten sudderen om de smaken te mengen en zet opzij.

Verhit de resterende 1 eetlepel olie in een grote koekenpan op middelhoog vuur. Voeg de tofu toe en kook tot hij aan beide kanten bruin is, ongeveer 10 minuten. Voeg de saus toe en laat 5 minuten koken. Serveer onmiddellijk.

14. Krokante tofu met zinderende kappertjessaus

Maakt 4 porties

- 1 pond extra stevige tofu, uitgelekt, in plakjes van $^{1}/_{4}$ inch gesneden en geperst
- Zout en versgemalen zwarte peper
- 2 eetlepels olijfolie, plus meer indien nodig
- 1 middelgrote sjalot, fijngehakt
- 2 eetlepels kappertjes
- 3 eetlepels gehakte verse peterselie
- 2 eetlepels veganistische margarine
- Sap van 1 citroen

Verwarm de oven voor op 275 ° F. Dep de tofu droog en breng op smaak met peper en zout. Doe het maizena in een ondiepe kom. Haal de tofu door het maizena en bestrijk alle kanten ermee.

Verhit 2 eetlepels olie in een grote koekenpan op middelhoog vuur. Voeg de tofu toe, indien nodig in batches, en kook tot ze aan beide kanten goudbruin zijn, ongeveer 4 minuten per kant. Leg de gebakken tofu op een hittebestendige schaal en houd hem warm in de oven.

Verhit in dezelfde koekenpan de resterende 1 eetlepel olie op middelhoog vuur. Voeg de sjalot toe en kook tot hij zacht is, ongeveer 3 minuten. Voeg de kappertjes en peterselie toe en kook gedurende 30 seconden. Roer vervolgens de margarine, het citroensap en zout en peper naar smaak erdoor, roer om te smelten en voeg de margarine toe. Bestrijk de tofu met kappertjessaus en serveer onmiddellijk.

15. Op het land gebakken tofu met gouden jus

Maakt 4 porties

- 1 pond extra stevige tofu, uitgelekt, in plakjes van $^{1}/_{2}$ inch gesneden en geperst
- Zout en versgemalen zwarte peper
- $^{1}/_{3}$ kopje maizena
- 2 eetlepels olijfolie
- 1 middelgrote zoete gele ui, gehakt
- 2 eetlepels bloem voor alle doeleinden
- 1 theelepel gedroogde tijm
- $^{1}/_{8}$ theelepel kurkuma
- 1 kopje groentebouillon, zelfgemaakt (zie Lichte groentebouillon) of in de winkel gekocht
- 1 eetlepel sojasaus

- 1 kop gekookte of ingeblikte kikkererwten, uitgelekt en afgespoeld
- 2 eetlepels gehakte verse peterselie, voor garnering

Dep de tofu droog en breng op smaak met peper en zout. Doe het maizena in een ondiepe kom. Haal de tofu door het maizena en bestrijk alle kanten ermee. Verwarm de oven voor op 250 ° F.

Verhit 2 eetlepels olie in een grote koekenpan op middelhoog vuur. Voeg de tofu toe, indien nodig in batches, en kook tot ze aan beide kanten goudbruin zijn, ongeveer 10 minuten. Leg de gebakken tofu op een hittebestendige schaal en houd hem warm in de oven.

Verhit in dezelfde koekenpan de resterende 1 eetlepel olie op middelhoog vuur. Voeg de ui toe, dek af en kook tot ze zacht is, 5 minuten. Ontdek en zet het vuur laag. Roer de bloem, tijm en kurkuma erdoor en kook gedurende 1 minuut, onder voortdurend roeren. Klop langzaam de bouillon erdoor, daarna de sojamelk en de sojasaus. Voeg de kikkererwten toe en breng op smaak met peper en zout. Blijf koken, roer regelmatig, gedurende 2 minuten. Doe het in een blender en verwerk tot een glad en romig mengsel. Doe terug in de pan en verwarm tot het heet is. Voeg eventueel nog wat bouillon toe als de saus te dik is. Schep de saus over de tofu en bestrooi met de peterselie. Serveer onmiddellijk.

16. Oranje-geglazuurde tofu en asperges

Maakt 4 porties

- 2 eetlepels mirin
- 1 eetlepel maizena
- 1 (16 ounce) pakket extra stevige tofu, uitgelekt en in reepjes van 1/4 inch gesneden
- 2 eetlepels sojasaus
- 1 theelepel geroosterde sesamolie
- 1 theelepel suiker
- 1/4 theelepel Aziatische chilipasta
- 2 eetlepels canola- of druivenpitolie
- 1 teentje knoflook, fijngehakt
- 1/2 theelepel gehakte verse gember
- 5 ons dunne asperges, harde uiteinden bijgesneden en in stukjes van 1 1/2 inch gesneden

Meng de mirin en het maizena in een ondiepe kom en meng goed. Voeg de tofu toe en roer voorzichtig zodat deze bedekt is. Zet opzij om 30 minuten te marineren.

Meng in een kleine kom het sinaasappelsap, de sojasaus, de sesamolie, de suiker en de chilipasta. Opzij zetten.

Verhit de canola-olie in een grote koekenpan of wok op middelhoog vuur. Voeg de knoflook en gember toe en roerbak tot het geurig is, ongeveer 30 seconden. Voeg de gemarineerde tofu en de asperges toe en roerbak tot de tofu goudbruin is en de asperges net gaar zijn, ongeveer 5 minuten. Roer de saus erdoor en kook nog ongeveer 2 minuten. Serveer onmiddellijk.

17. Tofu Pizzaiola

Maakt 4 porties

- 2 eetlepels olijfolie
- 1 (16 ounce) pakket extra stevige tofu, uitgelekt, in plakjes van 1/2 inch gesneden en geperst (zie Lichte groentebouillon)
- Zout
- 3 teentjes knoflook, fijngehakt
- 1 blikje tomatenblokjes, uitgelekt
- 1/4 kop met olie gevulde zongedroogde tomaten, in reepjes van 1/4 inch gesneden
- 1 eetlepel kappertjes
- 1 theelepel gedroogde oregano

- $^1/_2$ theelepel suiker
- Vers gemalen zwarte peper
- 2 eetlepels gehakte verse peterselie, voor garnering

Verwarm de oven voor op 275 ° F. Verhit 1 eetlepel olie in een grote koekenpan op middelhoog vuur. Voeg de tofu toe en bak tot hij aan beide kanten goudbruin is, één keer draaien, ongeveer 5 minuten per kant. Bestrooi de tofu met zout naar smaak. Leg de gebakken tofu op een hittebestendige schaal en houd hem warm in de oven.

Verhit in dezelfde koekenpan de resterende 1 eetlepel olie op middelhoog vuur. Voeg de knoflook toe en kook tot hij zacht is, ongeveer 1 minuut. Niet bruin worden. Roer de in blokjes gesneden tomaten, zongedroogde tomaten, olijven en kappertjes erdoor. Voeg de oregano, suiker en zout en peper naar smaak toe. Laat sudderen tot de saus heet is en de smaken goed zijn gecombineerd, ongeveer 10 minuten. Bestrijk de gebakken tofuplakjes met de saus en bestrooi met de peterselie. Serveer onmiddellijk.

18. "Ka-Pow" Tofu

Maakt 4 porties

- 1 pond extra stevige tofu, uitgelekt, drooggedept en in blokjes van 1 inch gesneden
- Zout
- 2 eetlepels maizena
- 2 eetlepels sojasaus
- 1 eetlepel vegetarische oestersaus

- 2 theelepels Nothin' Fishy Nam Pla of 1 theelepel rijstazijn
- 1 theelepel lichtbruine suiker
- $^{1}/_{2}$ theelepel gemalen rode peper
- 2 eetlepels canola- of druivenpitolie
- 1 middelgrote zoete gele ui, gehalveerd en in plakjes van $^{1}/_{2}$ inch gesneden
- middelgrote rode paprika, in plakjes van $^{1}/_{4}$ inch gesneden
- groene uien, gehakt
- $^{1}/_{2}$ kop Thaise basilicumblaadjes

Meng in een middelgrote kom de tofu, zout naar smaak en maizena. Gooi om te coaten en zet opzij.

Meng in een kleine kom de sojasaus, oestersaus, nam pla, suiker en gemalen rode peper. Roer goed om te combineren en zet opzij.

Verhit 1 eetlepel olie in een grote koekenpan op middelhoog vuur. Voeg de tofu toe en kook tot hij goudbruin is, ongeveer 8 minuten. Haal uit de koekenpan en zet opzij.

Verhit in dezelfde koekenpan de resterende 1 eetlepel olie op middelhoog vuur. Voeg de ui en paprika toe en roerbak tot ze zacht zijn, ongeveer 5 minuten. Voeg de groene uien toe en kook 1 minuut langer. Roer de gebakken tofu, de saus en de basilicum erdoor en roerbak tot het heet is, ongeveer 3 minuten. Serveer onmiddellijk.

19. Tofu op Siciliaanse wijze

Maakt 4 porties

- 2 eetlepels olijfolie
- 1 pond extra stevige tofu, uitgelekt, in plakjes van $^1/_4$ inch gesneden en geperst Zout en versgemalen zwarte peper
- 1 kleine gele ui, gehakt
- 2 teentjes knoflook, fijngehakt
- 1 (28 ounce) blik tomatenblokjes, uitgelekt
- $^1/_4$ kop droge witte wijn
- $^1/_4$ theelepel gemalen rode peper
- $^1/_3$ kopje ontpitte Kalamata-olijven
- 1 $^1/_2$ eetlepels kappertjes
- 2 eetlepels gehakte verse basilicum of 1 theelepel gedroogd (optioneel)

Verwarm de oven voor op 250 ° F. Verhit 1 eetlepel olie in een grote koekenpan op middelhoog vuur. Voeg de tofu toe, indien nodig in batches, en kook tot ze aan beide kanten goudbruin zijn, 5 minuten per kant. Breng op smaak met zout en zwarte peper. Doe de gekookte tofu in een hittebestendige schaal en houd hem warm in de oven terwijl je de saus klaarmaakt.

Verhit in dezelfde koekenpan de resterende 1 eetlepel olie op middelhoog vuur. Voeg de ui en knoflook toe, dek af en kook tot de ui zacht is, 10 minuten. Voeg de tomaten, wijn en gemalen rode peper toe. Breng aan de kook, zet het vuur laag en laat het zonder deksel 15 minuten sudderen. Roer de olijven en kappertjes erdoor. Kook nog 2 minuten.

Schik de tofu op een schaal of op afzonderlijke borden. Schep de saus er bovenop. Bestrooi eventueel met verse basilicum. Serveer onmiddellijk.

20. Thai-Phoon Roerbak

Maakt 4 porties

- 1 pond extra stevige tofu, uitgelekt en geklopt Dr
- 2 eetlepels canola- of druivenpitolie
- middelgrote sjalotten, in de lengte gehalveerd en in plakjes van $^{1}/_{8}$ inch gesneden
- 2 teentjes knoflook, fijngehakt
- 2 theelepels geraspte verse gember
- 3 ons witte champignondoppen, licht gespoeld, drooggedept en in plakjes van $^{1}/_{2}$ inch gesneden
- 1 eetlepel romige pindakaas
- 2 theelepels lichtbruine suiker
- 1 theelepel Aziatische chilipasta

- 2 eetlepels sojasaus
- 1 eetlepel mirin
- 1 (13,5 ounce) blikje ongezoete kokosmelk
- 6 ons gehakte verse spinazie
- 1 eetlepel geroosterde sesamolie
- Vers gekookte rijst of noedels, om te serveren
- 2 eetlepels fijngehakte verse Thaise basilicum of koriander
- 2 eetlepels gemalen ongezouten geroosterde pinda's
- 2 theelepels gehakte gekristalliseerde gember (optioneel)

Snijd de tofu in dobbelsteentjes van 1/2 inch en zet opzij. Verhit 1 eetlepel olie in een grote koekenpan middelhoog vuur. Voeg de tofu toe en roerbak tot hij goudbruin is, ongeveer 7 minuten. Haal de tofu uit de pan en zet opzij.

Verhit in dezelfde koekenpan de resterende 1 eetlepel olie op middelhoog vuur. Voeg sjalotjes, knoflook, gember en champignons toe en roerbak tot ze zacht zijn, ongeveer 4 minuten.

Roer de pindakaas, suiker, chilipasta, sojasaus en mirin erdoor. Roer de kokosmelk erdoor en mix tot alles goed gemengd is. Voeg de gebakken tofu en de spinazie toe en breng aan de kook. Zet het vuur middelhoog en laat sudderen, af en toe roerend, tot de spinazie verwelkt is en de smaken goed gemengd zijn, 5 tot 7 minuten. Roer de sesamolie erdoor en laat nog een minuut koken. Om te serveren, schep je het tofu-mengsel op rijst of noedels naar keuze en garneer met kokosnoot, basilicum, pinda's en gekristalliseerde gember, indien gebruikt. Serveer onmiddellijk.

21. Met Chipotle geschilderde gebakken tofu

Maakt 4 porties

- 2 eetlepels sojasaus
- 2 ingeblikte chipotle chilipepers in adobo
- 1 eetlepel olijfolie
- 1 pond extra stevige tofu, uitgelekt, in plakjes van 1 / 2 inch gesneden en geperst (zie Lichte groentebouillon)

Verwarm de oven voor op 375 ° F. Vet een bakvorm van 9 x 13 inch lichtjes in en zet opzij.

Meng de sojasaus, chipotles en olie in een keukenmachine en verwerk tot een mengsel. Schraap het chipotle-mengsel in een kleine kom.

Bestrijk het chipotle-mengsel op beide zijden van de tofuplakken en leg ze in een enkele laag in de voorbereide pan. Bak tot het warm is, ongeveer 20 minuten. Serveer onmiddellijk.

22. Gegrilde tofu met tamarindeglazuur

Maakt 4 porties

- 1 pond extra stevige tofu, uitgelekt en drooggedept
- Zout en versgemalen zwarte peper
- 2 eetlepels olijfolie
- 2 middelgrote sjalotten, fijngehakt
- 2 teentjes knoflook, fijngehakt
- 2 rijpe tomaten, grof gesneden
- 2 eetlepels ketchup
- 1/4 kopje water _
- 2 eetlepels Dijonmosterd
- 1 eetlepel donkerbruine suiker
- 2 eetlepels agavenectar
- 2 eetlepels tamarindeconcentraat
- 1 eetlepel donkere melasse
- 1/2 theelepel gemalen cayennepeper

- 1 eetlepel gerookte paprikapoeder
- 1 eetlepel sojasaus

Snijd de tofu in plakjes van 1 inch, breng op smaak met zout en peper en zet opzij in een ondiepe bakvorm.

Verhit de olie in een grote pan op middelhoog vuur. Voeg de sjalotten en knoflook toe en bak 2 minuten. Voeg alle overige ingrediënten toe, behalve de tofu. Zet het vuur laag en laat 15 minuten sudderen. Breng het mengsel over naar een blender of keukenmachine en mix tot een gladde massa. Doe terug in de pan en kook nog 15 minuten, en zet dan opzij om af te koelen. Giet de saus over de tofu en zet minimaal 2 uur in de koelkast. Verwarm een grill of grill voor.

Grill de gemarineerde tofu, één keer draaiend, zodat hij goed doorwarmt en aan beide kanten mooi bruin wordt. Terwijl de tofu grilt, verwarm je de marinade in een pan. Haal de tofu van de grill, bestrijk elke kant met de tamarindesaus en serveer onmiddellijk.

23. Tofu Gevuld Met Waterkers

Maakt 4 porties

- 1 pond extra stevige tofu, uitgelekt, in plakjes van ¾ inch gesneden en geperst (zie Lichte groentebouillon)
- Zout en versgemalen zwarte peper
- 1 klein bosje waterkers, harde stengels verwijderd en fijngehakt
- 2 rijpe pruimtomaten, in stukjes gesneden
- ½ kop gehakte groene uien
- 2 eetlepels gehakte verse peterselie
- 2 eetlepels gehakte verse basilicum
- 1 theelepel gehakte knoflook
- 2 eetlepels olijfolie
- 1 eetlepel balsamicoazijn
- Snufje suiker

- ½ kopje bloem voor alle doeleinden
- ½ kopje water
- 1 ½ kopjes droge, ongekruide broodkruimels

Snij een lange, diepe zak in de zijkant van elk plakje tofu en plaats de tofu op een bakplaat. Breng op smaak met peper en zout en zet opzij.

Meng in een grote kom de waterkers, tomaten, groene uien, peterselie, basilicum, knoflook, 2 eetlepels olie, azijn, suiker en zout en peper naar smaak. Meng tot alles goed gemengd is en stop het mengsel dan voorzichtig in de tofuzakjes.

Doe de bloem in een ondiepe kom. Giet het water in een aparte ondiepe kom. Doe de broodkruimels op een groot bord. Haal de tofu door de bloem, dompel hem voorzichtig in het water en haal hem vervolgens door de broodkruimels, zodat hij goed bedekt is.

Verhit de resterende 2 eetlepels olie in een grote koekenpan op middelhoog vuur. Voeg de gevulde tofu toe aan de koekenpan en kook tot hij goudbruin is, één keer draaien, 4 tot 5 minuten per kant. Serveer onmiddellijk.

24. Tofu met pistache-granaatappel

Maakt 4 porties

- 1 pond extra stevige tofu, uitgelekt, in plakjes van $^1/_4$ inch gesneden en geperst (zie Lichte groentebouillon)
- Zout en versgemalen zwarte peper
- 2 eetlepels olijfolie
- $^1/_2$ kopje granaatappelsap
- 1 eetlepel balsamicoazijn
- 1 eetlepel lichtbruine suiker
- 2 groene uien, gehakt
- $^1/_2$ kop ongezouten gepelde pistachenoten, grof gehakt

- Breng de tofu op smaak met peper en zout.

Verhit de olie in een grote koekenpan op middelhoog vuur. Voeg de tofu-plakken toe, indien nodig in batches, en kook tot ze lichtbruin zijn, ongeveer 4 minuten per kant. Haal uit de koekenpan en zet opzij.

Voeg in dezelfde koekenpan het granaatappelsap, de azijn, de suiker en de groene uien toe en laat 5 minuten op middelhoog vuur sudderen. Voeg de helft van de pistachenoten toe en kook tot de saus iets dikker is, ongeveer 5 minuten.

Doe de gebakken tofu terug in de pan en kook tot hij heet is, ongeveer 5 minuten, terwijl je de saus over de tofu schep terwijl deze suddert. Serveer onmiddellijk, bestrooid met de overgebleven pistachenoten.

25. Spice Island-tofu

Maakt 4 porties

- $^{1}/_{2}$ kopje maizena
- $^{1}/_{2}$ theelepel gehakte verse tijm of $^{1}/_{4}$ theelepel gedroogde
- $^{1}/_{2}$ theelepel gehakte verse marjolein of $^{1}/_{4}$ theelepel gedroogd
- $^{1}/_{2}$ theelepel zout
- $^{1}/_{4}$ theelepel gemalen cayennepeper
- $^{1}/_{4}$ theelepel zoete of gerookte paprika
- $^{1}/_{4}$ theelepel lichtbruine suiker
- $^{1}/_{8}$ theelepel gemalen piment
- 1 pond extra stevige tofu, uitgelekt en in reepjes van $^{1}/_{2}$ inch gesneden
- 2 eetlepels canola- of druivenpitolie
- 1 middelgrote rode paprika, in reepjes van $^{1}/_{4}$ inch gesneden
- 2 groene uien, gehakt
- 1 teentje knoflook, fijngehakt
- 1 jalapeño, zonder zaadjes en fijngehakt

- 2 rijpe pruimtomaatjes, zonder zaadjes en in stukjes gesneden
- 1 kopje gehakte verse of ingeblikte ananas
- 2 eetlepels sojasaus
- 1/4 kopje water _
- 2 theelepels vers limoensap
- 1 eetlepel gehakte verse peterselie, voor garnering

Meng in een ondiepe kom maizena, tijm, marjolein, zout, cayennepeper, paprika, suiker en piment. Goed mengen. Haal de tofu door het kruidenmengsel en bestrijk hem aan alle kanten. Verwarm de oven voor op 250 ° F.

Verhit 2 eetlepels olie in een grote koekenpan op middelhoog vuur. Voeg de uitgebaggerde tofu toe, indien nodig in batches, en kook tot ze goudbruin zijn, ongeveer 4 minuten per kant. Leg de gebakken tofu op een hittebestendige schaal en houd hem warm in de oven.

Verhit in dezelfde koekenpan de resterende 1 eetlepel olie op middelhoog vuur. Voeg de paprika, groene uien, knoflook en jalapeño toe. Dek af en kook, af en toe roerend, tot ze gaar zijn, ongeveer 10 minuten. Voeg de tomaten, ananas, sojasaus, water en limoensap toe en laat sudderen tot het mengsel heet is en de smaken zijn gecombineerd, ongeveer 5 minuten. Schep het groentemengsel erover de gebakken tofu. Bestrooi met gehakte peterselie en serveer onmiddellijk.

26. Gembertofu met citrus-hoisinsaus

Maakt 4 porties

- 1 pond extra stevige tofu, uitgelekt, drooggedept en in blokjes van $^{1}/_{2}$ inch gesneden
- 2 eetlepels sojasaus
- 2 eetlepels plus 1 theelepel maizena
- 1 eetlepel plus 1 theelepel canola- of druivenpitolie
- 1 theelepel geroosterde sesamolie
- 2 theelepels geraspte verse gember
- groene uien, gehakt
- $^{1}/_{3}$ kop hoisinsaus
- $^{1}/_{2}$ kop groentebouillon, zelfgemaakt (zie Lichte groentebouillon) of in de winkel gekocht
- $^{1}/_{4}$ kop vers sinaasappelsap
- 1 $^{1}/_{2}$ eetlepels vers limoensap
- 1 $^{1}/_{2}$ eetlepels vers citroensap

- Zout en versgemalen zwarte peper

Doe de tofu in een ondiepe kom. Voeg de sojasaus toe en roer om, bestrooi vervolgens met 2 eetlepels maizena en roer om te coaten.

Verhit 1 eetlepel canola-olie in een grote koekenpan op middelhoog vuur. Voeg de tofu toe en kook tot hij goudbruin is, af en toe draaiend, ongeveer 10 minuten. Haal de tofu uit de pan en zet opzij.

Verhit in dezelfde koekenpan de resterende 1 theelepel canola-olie en de sesamolie op middelhoog vuur. Voeg de gember en groene uien toe en kook tot ze geurig zijn, ongeveer 1 minuut. Roer de hoisinsaus, de bouillon en het sinaasappelsap erdoor en breng aan de kook. Kook tot de vloeistof iets is ingekookt en de smaken de kans krijgen om te versmelten, ongeveer 3 minuten. Meng in een kleine kom de resterende 1 theelepel maizena met het limoensap en het citroensap en voeg dit toe aan de saus, al roerend om iets in te dikken. Breng op smaak met zout en peper.

Doe de gebakken tofu terug in de pan en kook tot hij bedekt is met de saus en goed opgewarmd is. Serveer onmiddellijk.

27. Tofu met citroengras en peultjes

Maakt 4 porties

- 2 eetlepels canola- of druivenpitolie
- 1 middelgrote rode ui, gehalveerd en in dunne plakjes gesneden
- 2 teentjes knoflook, fijngehakt
- 1 theelepel geraspte verse gember
- 1 pond extra stevige tofu, uitgelekt en in dobbelstenen van $^{1}/_{2}$ inch gesneden
- 2 eetlepels sojasaus
- 1 eetlepel mirin of sake

- 1 theelepel suiker
- 1/2 theelepel gemalen rode peper
- 4 ons peultjes, bijgesneden
- 1 eetlepel gehakt citroengras of schil van 1 citroen
- 2 eetlepels grofgemalen ongezouten geroosterde pinda's, voor garnering

Verhit de olie in een grote koekenpan of wok op middelhoog vuur. Voeg de ui, knoflook en gember toe en roerbak 2 minuten. Voeg de tofu toe en kook tot hij goudbruin is, ongeveer 7 minuten.

Roer de sojasaus, mirin, suiker en gemalen rode peper erdoor. Voeg de peultjes en het citroengras toe en roerbak tot de peultjes knapperig zacht zijn en de smaken goed gemengd zijn, ongeveer 3 minuten. Garneer met pinda's en serveer onmiddellijk.

28. Dubbele sesamtofu met tahinisaus

Maakt 4 porties

- $^{1}/_{2}$ kop tahini (sesampasta)
- 2 eetlepels vers citroensap
- 2 eetlepels sojasaus
- 2 eetlepels water
- $^{1}/_{4}$ kop witte sesamzaadjes
- $^{1}/_{4}$ kopje zwarte sesamzaadjes
- $^{1}/_{2}$ kopje maizena
- 1 pond extra stevige tofu, uitgelekt, drooggedept en in reepjes van $^{1/2}$ inch gesneden
- Zout en versgemalen zwarte peper
- 2 eetlepels canola- of druivenpitolie

Meng in een kleine kom de tahini, het citroensap, de sojasaus en het water, al roerend om goed te mengen. Opzij zetten.

Meng in een ondiepe kom de witte en zwarte sesamzaadjes en het maizena, al roerend om te mengen. Breng de tofu op smaak met peper en zout. Opzij zetten.

Verhit de olie in een grote koekenpan op middelhoog vuur. Haal de tofu door het sesamzaadmengsel tot hij goed bedekt is, doe hem in de hete koekenpan en bak tot hij rondom bruin en krokant is, draai indien nodig, 3 tot 4 minuten per kant. Pas op dat u de zaden niet verbrandt. Besprenkel met tahinisaus en serveer onmiddellijk.

29. Tofu En Edamame Stoofpot

Maakt 4 porties

- 2 eetlepels olijfolie
- 1 middelgrote gele ui, gehakt
- $^{1}/_{2}$ kop gehakte selderij
- 2 teentjes knoflook, fijngehakt
- 2 middelgrote Yukon Gold-aardappelen, geschild en in dobbelstenen van $^{1}/_{2}$ inch gesneden
- 1 kopje gepelde verse of bevroren edamame
- 2 kopjes geschilde en in blokjes gesneden courgette
- $^{1}/_{2}$ kop bevroren babyerwten
- 1 theelepel gedroogd bonenkruid
- $^{1}/_{2}$ theelepel verkruimelde gedroogde salie
- $^{1}/_{8}$ theelepel gemalen cayennepeper
- 1 $^{1}/_{2}$ kopjes groentebouillon, zelfgemaakt (zie Lichte groentebouillon) of in de winkel gekocht Zout en versgemalen zwarte peper

- 1 pond extra stevige tofu, uitgelekt, drooggedept en in dobbelstenen van $^1/_2$ inch gesneden
- 2 eetlepels gehakte verse peterselie

Verhit 1 eetlepel olie in een grote pan op middelhoog vuur. Voeg de ui, selderij en knoflook toe. Dek af en kook tot het zacht is, ongeveer 10 minuten. Roer de aardappelen, edamame, courgette, erwten, bonenkruid, salie en cayennepeper erdoor. Voeg de bouillon toe en breng aan de kook. Zet het vuur laag en breng op smaak met peper en zout. Dek af en laat sudderen tot de groenten gaar zijn en de smaken zijn gemengd, ongeveer 40 minuten.

Verhit de resterende 1 eetlepel olie in een grote koekenpan op middelhoog vuur. Voeg de tofu toe en kook tot hij goudbruin is, ongeveer 7 minuten. Breng op smaak met peper en zout en zet opzij. Voeg ongeveer 10 minuten voordat de stoofpot klaar is met koken de gebakken tofu en peterselie toe. Proef, pas indien nodig de smaak aan en serveer onmiddellijk.

30. Sojabruine droomkoteletten

Maakt 6 porties

- 300 gram stevige tofu, uitgelekt en verkruimeld
- 2 eetlepels sojasaus
- $^{1}/_{4}$ theelepel zoete paprika
- $^{1}/_{4}$ theelepel uienpoeder
- $^{1}/_{4}$ theelepel knoflookpoeder
- $^{1}/_{4}$ theelepel versgemalen zwarte peper
- 1 kopje tarweglutenmeel (vitale tarwegluten)
- 2 eetlepels olijfolie

Meng in een keukenmachine de tofu, sojasaus, paprika, uienpoeder, knoflookpoeder, peper en bloem. Verwerk tot het goed gemengd is. Breng het mengsel over naar een vlak werkoppervlak en vorm het tot een cilinder. Verdeel het mengsel in 6 gelijke stukken en maak ze plat in zeer dunne schnitzels, niet meer dan $^{1}/_{4}$ inch dik. (Om dit te doen, plaatst u elke kotelet tussen twee stukken vetvrij papier, folie of perkamentpapier en rolt u deze plat met een deegroller.)

Verhit de olie in een grote koekenpan op middelhoog vuur. Voeg de koteletten toe, indien nodig in batches, dek af en kook tot ze aan beide kanten mooi bruin zijn, 5 tot 6 minuten per kant. De schnitzels zijn nu klaar om in recepten te gebruiken of direct te serveren, overgoten met een saus.

31. Mijn soort gehaktbrood

Voor 4 tot 6 porties

- 2 eetlepels olijfolie
- $^{2}/_{3}$ kop gehakte ui
- 2 teentjes knoflook, fijngehakt
- 1 pond extra stevige tofu, uitgelekt en drooggedept
- 2 eetlepels ketchup

- 2 eetlepels tahini (sesampasta) of romige pindakaas
- 2 eetlepels sojasaus
- 1/2 kop gemalen walnoten
- 1 kop ouderwetse haver
- 1 kopje tarweglutenmeel (vitale tarwegluten)
- 2 eetlepels gehakte verse peterselie
- 1/2 theelepel zout
- 1/2 theelepel zoete paprika
- 1/4 theelepel versgemalen zwarte peper

Verwarm de oven voor op 375 ° F. Vet een 9-inch broodvorm licht in en zet opzij. Verhit 1 eetlepel olie in een grote koekenpan op middelhoog vuur. Voeg de ui en knoflook toe, dek af en kook tot ze zacht zijn, 5 minuten.

Meng de tofu, ketchup, tahini en sojasaus in een keukenmachine en verwerk tot een gladde massa. Voeg het gereserveerde uienmengsel en alle overige ingrediënten toe. Pulseer tot alles goed gemengd is, maar er nog wat textuur over is.

Schraap het mengsel in de voorbereide pan. Druk het mengsel stevig in de pan en strijk de bovenkant glad. Bak tot het stevig en goudbruin is, ongeveer 1 uur. Laat 10 minuten staan alvorens te snijden.

32. Zeer vanille wentelteefjes

Maakt 4 porties

1 pakje stevige zijden tofu, uitgelekt
1 $^1/_2$ kopjes sojamelk
2 eetlepels maizena
1 eetlepel canola- of druivenpitolie
2 theelepels suiker
1 $^1/_2$ theelepels puur vanille-extract
$^1/_4$ theelepel zout
4 sneetjes Italiaans brood van een dag oud
Canola- of druivenpitolie, om te frituren

Verwarm de oven voor op 225 ° F. Meng in een blender of keukenmachine de tofu, sojamelk, maizena, olie, suiker, vanille en zout en mix tot een gladde massa.

Giet het beslag in een ondiepe kom en doop het brood in het beslag, draai het zodat beide kanten bedekt zijn.

Verhit op een bakplaat of grote koekenpan een dunne laag olie op middelhoog vuur. Leg de wentelteefjes op de hete bakplaat en bak ze aan beide kanten goudbruin, één keer draaien, 3 tot 4 minuten per kant.

Leg de gekookte wentelteefjes op een hittebestendige schaal en houd ze warm in de oven terwijl je de rest kookt.

33. Sesam-Soja Ontbijtspread

Voor ongeveer 1 kopje

1/2 kop zachte tofu, uitgelekt en drooggedept
2 eetlepels tahini (sesampasta)
2 eetlepels edelgist
1 eetlepel vers citroensap
2 theelepels lijnzaadolie
1 theelepel geroosterde sesamolie
1/2 theelepel zout

Combineer alle ingrediënten in een blender of keukenmachine en mix tot een gladde massa. Schraap het mengsel in een kleine kom, dek af en zet het enkele uren in de koelkast om de smaak te verdiepen. Als het op de juiste manier wordt bewaard, is het maximaal 3 dagen houdbaar.

34. Radiatore Met Aurorasaus

Maakt 4 porties

- 1 eetlepel olijfolie
- 3 teentjes knoflook, fijngehakt
- 3 groene uien, gehakt
- (28 ounce) kan tomaten vermalen
- 1 theelepel gedroogde basilicum
- 1/2 theelepel gedroogde marjolein
- 1 theelepel zout

- $^1/_4$ theelepel versgemalen zwarte peper
- $^1/_3$ kopje veganistische roomkaas of uitgelekte zachte tofu
- 1 pond radiatore of andere kleine, gevormde pasta
- 2 eetlepels gehakte verse peterselie, voor garnering

Verhit de olie in een grote pan op middelhoog vuur. Voeg de knoflook en groene uien toe en kook tot ze geurig zijn, 1 minuut. Roer de tomaten, basilicum, marjolein, zout en peper erdoor. Breng de saus aan de kook, zet het vuur laag en laat 15 minuten sudderen, af en toe roeren.

Meng de roomkaas in de keukenmachine tot een gladde massa. Voeg 2 kopjes tomatensaus toe en mix tot een gladde massa. Schraap het tofu-tomatenmengsel terug in de pan met de tomatensaus en roer om te mengen. Proef, pas eventueel de smaakmakers aan. Houd warm op laag vuur.

Kook de pasta in een grote pan met kokend gezouten water op middelhoog vuur, af en toe roerend, tot hij al dente is, ongeveer 10 minuten. Laat goed uitlekken en doe het in een grote serveerschaal. Voeg de saus toe en roer voorzichtig om te combineren. Bestrooi met peterselie en serveer onmiddellijk.

35. Klassieke Tofu-lasagne

Maakt 6 porties

- 12 ons lasagna-noedels
- 1 pond stevige tofu, uitgelekt en verkruimeld
- 1 pond zachte tofu, uitgelekt en verkruimeld
- 2 eetlepels edelgist
- 1 theelepel vers citroensap
- 1 theelepel zout
- $^{1}/_{4}$ theelepel versgemalen zwarte peper

- 3 eetlepels gehakte verse peterselie
- 1/2 kop veganistische Parmezaanse kaas of Parmasio
- 4 kopjes marinarasaus, zelfgemaakt (zie Marinarasaus) of in de winkel gekocht

Kook de noedels in een pan met kokend gezouten water op middelhoog vuur, af en toe roerend, tot ze net beetgaar zijn, ongeveer 7 minuten. Verwarm de oven voor op 350 ° F. Meng de stevige en zachte tofus in een grote kom. Voeg de edelgist, citroensap, zout, peper, peterselie en 1/4 kopje Parmezaanse kaas toe. Meng tot alles goed gemengd is.

Schep een laag tomatensaus op de bodem van een ovenschaal van 9 x 13 inch. Bedek met een laag gekookte noedels. Verdeel de helft van het tofumengsel gelijkmatig over de noedels. Herhaal met nog een laag noedels gevolgd door een laag saus. Verdeel het resterende tofumengsel over de saus en eindig met een laatste laag noedels en saus. Bestrooi met de resterende 1/4 kop Parmezaanse kaas. Mocht er nog saus over zijn, bewaar deze dan en serveer deze warm in een kom naast de lasagne.

Dek af met folie en bak gedurende 45 minuten. Verwijder het deksel en bak 10 minuten langer. Laat 10 minuten staan voordat u het serveert.

36. Lasagne van rode snijbiet en spinazie

Maakt 6 porties

- 12 ons lasagna-noedels
- 1 eetlepel olijfolie
- 2 teentjes knoflook, fijngehakt
- 8 ons verse rode snijbiet, harde stengels verwijderd en grof gehakt
- 9 ons verse babyspinazie, grof gehakt
- 1 pond stevige tofu, uitgelekt en verkruimeld
- 1 pond zachte tofu, uitgelekt en verkruimeld
- 2 eetlepels edelgist
- 1 theelepel vers citroensap
- 2 eetlepels gehakte verse bladpeterselie
- 1 theelepel zout
- $^{1}/_{4}$ theelepel versgemalen zwarte peper

- 3 1/2 kopjes marinarasaus, zelfgemaakt of in de winkel gekocht

Kook de noedels in een pan met kokend gezouten water op middelhoog vuur, af en toe roerend, tot ze net beetgaar zijn, ongeveer 7 minuten. Verwarm de oven voor op 350 ° F.

Verhit de olie in een grote pan op middelhoog vuur. Voeg de knoflook toe en kook tot het geurig is. Voeg de snijbiet toe en kook al roerend tot hij verwelkt is, ongeveer 5 minuten. Voeg de spinazie toe en blijf koken, al roerend tot het verwelkt is, nog ongeveer 5 minuten. Dek af en kook tot het zacht is, ongeveer 3 minuten. Ontdek en zet opzij om af te koelen. Als het voldoende is afgekoeld om te hanteren, laat je het resterende vocht uit de greens lopen en druk je er met een grote lepel tegenaan om overtollige vloeistof eruit te persen. Doe de greens in een grote kom. Voeg tofu's, de edelgist, citroensap, peterselie, zout en peper toe. Meng tot alles goed gemengd is.

Schep een laag tomatensaus op de bodem van een ovenschaal van 9 x 13 inch. Bedek met een laagje noedels. Verdeel de helft van het tofumengsel gelijkmatig over de noedels. Herhaal met nog een laag noedels en een laag saus. Verdeel het resterende tofumengsel over de saus en eindig met een laatste laag noedels, saus en beleg met de Parmezaanse kaas.

Dek af met folie en bak gedurende 45 minuten. Verwijder het deksel en bak 10 minuten langer. Laat 10 minuten staan voordat u het serveert.

37. Geroosterde Groentenlasagne

Maakt 6 porties

- 1 middelgrote courgette, in plakjes van $^{1}/_{4}$ inch gesneden
- 1 middelgrote aubergine, in plakjes van $^{1}/_{4}$ inch gesneden
- 1 middelgrote rode paprika, in blokjes gesneden
- 2 eetlepels olijfolie
- Zout en versgemalen zwarte peper
- 8 ons lasagna-noedels

- 1 pond stevige tofu, uitgelekt, drooggedept en verkruimeld
- 1 pond zachte tofu, uitgelekt, drooggedept en verkruimeld
- 2 eetlepels edelgist
- 2 eetlepels gehakte verse bladpeterselie
- 3 1/2 kopjes marinarasaus, zelfgemaakt (zie Marinarasaus) of in de winkel gekocht

Verwarm de oven voor op 425 ° F. Verdeel de courgette, aubergine en paprika op een licht geoliede bakvorm van 9 x 13 inch. Besprenkel met de olie en breng op smaak met zout en zwarte peper. Rooster de groenten tot ze zacht en lichtbruin zijn, ongeveer 20 minuten. Haal uit de oven en zet opzij om af te koelen. Verlaag de oventemperatuur tot 350 ° F.

Kook de noedels in een pan met kokend gezouten water op middelhoog vuur, af en toe roerend, tot ze net beetgaar zijn, ongeveer 7 minuten. Giet af en zet opzij. Meng de tofu in een grote kom met de edelgist, peterselie en zout en peper naar smaak. Goed mengen.

Om te monteren, verspreidt u een laag tomatensaus op de bodem van een ovenschaal van 9 x 13 inch. Bestrijk de saus met een laagje noedels. Bestrijk de noedels met de helft van de geroosterde groenten en verdeel de helft van het tofumengsel over de groenten. Herhaal met nog een laag noedels en bedek met meer saus. Herhaal het laagjesproces met de resterende groenten en het tofu-mengsel en eindig met een laag noedels en saus. Strooi Parmezaanse kaas erover.

Dek af en bak gedurende 45 minuten. Verwijder het deksel en bak nog eens 10 minuten. Haal uit de oven en laat 10 minuten staan alvorens aan te snijden.

38. Lasagne Met Radicchio En Champignons

Maakt 6 porties

- 1 eetlepel olijfolie
- 2 teentjes knoflook, fijngehakt
- 1 kleine radicchio, geraspt
- 8 ons cremini-paddenstoelen, licht gespoeld, drooggedept en in dunne plakjes gesneden
- Zout en versgemalen zwarte peper
- 8 ons lasagna-noedels
- 1 pond stevige tofu, uitgelekt, drooggedept en verkruimeld
- 1 pond zachte tofu, uitgelekt, drooggedept en verkruimeld

- 3 eetlepels edelgist
- 2 eetlepels gehakte verse peterselie
- 3 kopjes marinarasaus, zelfgemaakt (zie Marinarasaus) of in de winkel gekocht

Verhit de olie in een grote koekenpan op middelhoog vuur. Voeg de knoflook, radicchio en champignons toe. Dek af en kook, af en toe roerend, tot ze gaar zijn, ongeveer 10 minuten. Breng op smaak met peper en zout en zet opzij

Kook de noedels in een pan met kokend gezouten water op middelhoog vuur, af en toe roerend, tot ze net beetgaar zijn, ongeveer 7 minuten. Giet af en zet opzij. Verwarm de oven voor op 350 ° F.

Meng de stevige en zachte tofu in een grote kom. Voeg de edelgist en peterselie toe en meng tot alles goed gemengd is. Meng het radicchio-champignonmengsel erdoor en breng op smaak met peper en zout.

Schep een laag tomatensaus op de bodem van een ovenschaal van 9 x 13 inch. Bedek met een laagje noedels. Verdeel de helft van het tofumengsel gelijkmatig over de noedels. Herhaal met nog een laag noedels gevolgd door een laag saus. Verdeel het resterende tofumengsel erover en eindig met een laatste laag noedels en saus. Bestrooi de bovenkant met gemalen walnoten.

Dek af met folie en bak gedurende 45 minuten. Verwijder het deksel en bak 10 minuten langer. Laat 10 minuten staan voordat u het serveert.

39. Lasagne Primavera

Voor 6 tot 8 porties

- 8 ons lasagna-noedels
- 2 eetlepels olijfolie
- 1 kleine gele ui, gehakt
- 3 teentjes knoflook, fijngehakt
- 6 ons zijden tofu, uitgelekt
- 3 kopjes gewone ongezoete sojamelk
- 3 eetlepels edelgist
- 1/8 theelepel gemalen nootmuskaat
- Zout en versgemalen zwarte peper
- 2 kopjes gehakte broccoliroosjes
- 2 middelgrote wortels, fijngehakt

- 1 kleine courgette, in de lengte gehalveerd of in vieren gesneden en in plakjes van $^1/_4$ inch gesneden
- 1 middelgrote rode paprika, gehakt
- 2 pond stevige tofu, uitgelekt en drooggedept
- 2 eetlepels gehakte verse bladpeterselie
- $^1/_2$ kop veganistische Parmezaanse kaas of Parmasio
- $^1/_2$ kop gemalen amandelen of pijnboompitten

Verwarm de oven voor op 350 ° F. Kook de noedels in een pan met kokend gezouten water op middelhoog vuur, af en toe roerend, tot ze net beetgaar zijn, ongeveer 7 minuten. Giet af en zet opzij.

Verhit de olie in een kleine koekenpan op middelhoog vuur. Voeg de ui en knoflook toe, dek af en kook tot ze zacht zijn, ongeveer 5 minuten. Breng het uienmengsel over in een blender. Voeg de zijden tofu, sojamelk, edelgist, nootmuskaat en zout en peper naar smaak toe. Meng tot een gladde massa en zet opzij.

Stoom de broccoli, wortels, courgette en paprika tot ze gaar zijn. Haal van het vuur. Verkruimel de stevige tofu in een grote kom. Voeg de peterselie en $^1/_4$ kopje Parmezaanse kaas toe en breng op smaak met zout en peper naar smaak. Meng tot alles goed gemengd is. Roer de gestoomde groenten erdoor en meng goed, voeg indien nodig meer zout en peper toe.

Schep een laag witte saus op de bodem van een licht geoliede ovenschaal van 9 x 13 inch. Bedek met een laagje noedels. Verdeel de helft van het tofu- en groentemengsel gelijkmatig over de noedels. Herhaal met nog een laag noedels, gevolgd door een laag saus. Verdeel het resterende tofu-mengsel erover en eindig met een laatste laag noedels en saus, eindigend met de resterende $^{1}/_{4}$ kop Parmezaanse kaas. Dek af met folie en bak gedurende 45 minuten

Lasagne van zwarte bonen en pompoen

Voor 6 tot 8 porties

- 12 lasagna-noedels
- 1 eetlepel olijfolie
- 1 middelgrote gele ui, gehakt
- 1 middelgrote rode paprika, gehakt
- 2 teentjes knoflook, fijngehakt
- 1 $^{1}/_{2}$ kopjes gekookt of 1 blikje zwarte bonen, uitgelekt en gespoeld
- (14,5 ounce) kan tomaten vermalen
- 2 theelepels chilipoeder
- Zout en versgemalen zwarte peper
- 1 pond stevige tofu, goed uitgelekt
- 3 eetlepels gehakte verse peterselie of koriander
- 1 (16 ounce) blikje pompoenpuree
- 3 kopjes tomatensalsa, zelfgemaakt (zie Verse tomatensalsa) of in de winkel gekocht

Kook de noedels in een pan met kokend gezouten water op middelhoog vuur, af en toe roerend, tot ze net beetgaar zijn, ongeveer 7 minuten. Giet af en zet opzij. Verwarm de oven voor op 375 ° F.

Verhit de olie in een grote koekenpan op middelhoog vuur. Voeg de ui toe, dek af en kook tot hij zacht is. Voeg de paprika en knoflook toe en kook tot ze zacht zijn, 5 minuten langer. Roer de bonen, tomaten, 1 theelepel chilipoeder en zout en zwarte peper naar smaak erdoor. Meng goed en zet opzij.

Meng in een grote kom de tofu, peterselie, de resterende 1 theelepel chilipoeder en zout en zwarte peper naar smaak. Opzij zetten. Meng de pompoen in een middelgrote kom met de salsa en roer tot alles goed gemengd is. Breng op smaak met zout en peper.

Verdeel ongeveer ¾ kopje van het pompoenmengsel op de bodem van een ovenschaal van 9 x 13 inch. Beleg met 4 van de noedels. Bestrijk met de helft van het bonenmengsel, gevolgd door de helft van het tofumengsel. Bestrijk met vier van de noedels, gevolgd door een laag pompoenmengsel, vervolgens het resterende bonenmengsel en daarop de resterende noedels. Verdeel het resterende tofumengsel over de noedels, gevolgd door het resterende pompoenmengsel en spreid dit uit naar de randen van de pan.

Dek af met folie en bak tot het warm en bruisend is, ongeveer 50 minuten. Ontdek, bestrooi met pompoenpitten en laat 10 minuten staan voordat je het serveert.

40. Met snijbiet gevulde manicotti

Maakt 4 porties

- 12 manicotti
- 3 eetlepels olijfolie
- 1 kleine ui, gehakt
- 1 middelgrote bos snijbiet, harde stengels verwijderd en fijngehakt
- 1 pond stevige tofu, uitgelekt en verkruimeld
- Zout en versgemalen zwarte peper
- 1 kopje rauwe cashewnoten

- 3 kopjes gewone ongezoete sojamelk
- 1/8 theelepel gemalen nootmuskaat
- 1/8 theelepel gemalen cayennepeper
- 1 kopje droge, ongekruide broodkruimels

Verwarm de oven voor op 350 ° F. Vet een ovenschaal van 9 x 13 inch licht in en zet opzij.

Kook de manicotti in een pan met kokend gezouten water op middelhoog vuur, af en toe roerend, tot ze beetgaar zijn, ongeveer 8 minuten. Goed laten uitlekken en onder koud water laten lopen. Opzij zetten.

Verhit 1 eetlepel olie in een grote koekenpan op middelhoog vuur. Voeg de ui toe, dek af en kook tot hij zacht is, ongeveer 5 minuten. Voeg de snijbiet toe, dek af en kook tot de snijbiet zacht is, af en toe roerend, ongeveer 10 minuten. Haal van het vuur en voeg de tofu toe, roer om goed te mengen. Breng het geheel op smaak met zout en peper en zet het opzij.

Maal de cashewnoten in een blender of keukenmachine tot poeder. Voeg 1 1/2 kopjes sojamelk, de nootmuskaat, de cayennepeper en zout naar smaak toe. Mixen tot een gladde substantie. Voeg de resterende 1 1/2 kopjes sojamelk toe en mix tot het romig is. Proef, pas eventueel de smaakmakers aan.

Verdeel een laagje saus op de bodem van de voorbereide ovenschaal. Verpak ongeveer 1/3 kopje van de Snijbiet vulling in de manicotti. Schik de gevulde manicotti in een enkele laag in de ovenschaal. Schep de resterende saus over de manicotti. Meng in een kleine kom de broodkruimels en de resterende 2 eetlepels olie en strooi over de manicotti. Dek af met folie en bak tot het warm en bruisend is, ongeveer 30 minuten. Serveer onmiddellijk

Maakt 4 porties

- 12 manicotti
- 1 eetlepel olijfolie
- 2 middelgrote sjalotten, gehakt
- 2 (10-ounce) pakjes bevroren gehakte spinazie, ontdooid
- 1 pond extra stevige tofu, uitgelekt en verkruimeld
- $^{1}/_{4}$ theelepel gemalen nootmuskaat
- Zout en versgemalen zwarte peper
- 1 kopje geroosterde walnootstukjes
- 1 kopje zachte tofu, uitgelekt en verkruimeld
- $^{1}/_{4}$ kopje voedingsgist
- 2 kopjes gewone ongezoete sojamelk
- 1 kopje droge broodkruimels

Verwarm de oven voor op 350 ° F. Vet een ovenschaal van 9 x 13 inch lichtjes in. Kook de manicotti in een pan met kokend gezouten water op middelhoog vuur, af en toe roerend, tot ze beetgaar zijn, ongeveer 10 minuten. Goed laten uitlekken en onder koud water laten lopen. Opzij zetten.

Verhit de olie in een grote koekenpan op middelhoog vuur. Voeg de sjalotjes toe en kook tot ze zacht zijn, ongeveer 5 minuten. Knijp de spinazie uit om zoveel mogelijk vocht te verwijderen en voeg toe aan de sjalotjes. Breng op smaak met nootmuskaat en zout en peper en kook 5 minuten, al roerend om de smaken te mengen. Voeg de extra stevige tofu toe en roer goed. Opzij zetten.

Verwerk de walnoten in een keukenmachine tot ze fijngemalen zijn. Voeg de zachte tofu, edelgist, sojamelk en zout en peper naar smaak toe. Verwerk tot een gladde massa.

Verdeel een laagje walnotensaus op de bodem van de voorbereide ovenschaal. Vul de manicotti met de vulling. Schik de gevulde manicotti in een enkele laag in de ovenschaal. Schep de resterende saus erbovenop. Dek af met folie en bak tot het heet is, ongeveer 30 minuten. Ontdek, bestrooi met broodkruimels en bak nog 10 minuten om de bovenkant lichtbruin te laten worden. Serveer onmiddellijk

41. Lasagne Pinwheels

Maakt 4 porties

- 12 lasagna-noedels
- 4 kopjes licht verpakte verse spinazie
- 1 kopje gekookte of ingeblikte witte bonen, uitgelekt en gespoeld
- 1 pond stevige tofu, uitgelekt en drooggedept
- $^{1}/_{2}$ theelepel zout
- $^{1}/_{4}$ theelepel versgemalen zwarte peper
- $^{1}/_{8}$ theelepel gemalen nootmuskaat
- 3 kopjes marinarasaus, zelfgemaakt (zie Marinarasaus) of in de winkel gekocht

Verwarm de oven voor op 350 ° F. Kook de noedels in een pan met kokend gezouten water op middelhoog vuur, af en toe roerend, tot ze net beetgaar zijn, ongeveer 7 minuten.

Doe de spinazie in een magnetronbestendige schaal met 1 eetlepel water. Dek af en zet 1 minuut in de magnetron tot het verwelkt is. Haal het uit de kom en knijp de resterende vloeistof eruit. Doe de spinazie in een keukenmachine en pulseer om te hakken. Voeg de bonen, tofu, zout en peper toe en verwerk tot alles goed gemengd is. Opzij zetten.

Om de vuurraderen in elkaar te zetten, legt u de noedels op een vlak werkoppervlak. Verdeel ongeveer 3 eetlepels tofu-spinaziemengsel op het oppervlak van elke noedel en rol op. Herhaal met de overige ingrediënten. Verdeel een laagje tomatensaus op de bodem van een ondiepe ovenschaal. Zet de rolletjes rechtop op de saus en schep op elk molentje wat van de overgebleven saus. Dek af met folie en bak gedurende 30 minuten. Serveer onmiddellijk.

42. Pompoenravioli met erwten

Maakt 4 porties

- 1 kopje ingeblikte pompoenpuree
- $^{1}/_{2}$ kopje extra stevige tofu, goed uitgelekt en verkruimeld
- 2 eetlepels gehakte verse peterselie
- Snuf gemalen nootmuskaat

- Zout en versgemalen zwarte peper
- 1 recept Eivrij pastadeeg
- 2 of 3 middelgrote sjalotjes, in de lengte gehalveerd en in plakjes van 1/4 inch gesneden
- 1 kopje bevroren babyerwten, ontdooid

Gebruik een papieren handdoek om overtollige vloeistof uit de pompoen en de tofu te verwijderen en meng vervolgens in een keukenmachine met de edelgist, peterselie, nootmuskaat en zout en peper naar smaak. Opzij zetten.

Rol voor de ravioli het pastadeeg dun uit op een licht met bloem bestoven oppervlak. Snijd het deeg in

2-inch brede stroken. Plaats 1 volle theelepel vulling op 1 pastastrook, ongeveer 2,5 cm van de bovenkant. Plaats nog een theelepel vulling op de pastastrook, ongeveer 2,5 cm onder de eerste lepel vulling. Herhaal dit over de gehele lengte van de deegstrook. Maak de randen van het deeg licht nat met water en leg een tweede strook pasta op de eerste, zodat de vulling bedekt is. Druk de twee lagen deeg samen tussen de porties vulling. Gebruik een mes om de zijkanten van het deeg bij te snijden, zodat het recht wordt, en snij vervolgens het deeg tussen elke berg vulling door om vierkante ravioli te maken. Zorg ervoor dat u luchtzakken rond de vulling eruit drukt voordat u deze afsluit. Gebruik de tanden van een vork om langs de randen van het deeg te drukken om de ravioli dicht te plakken. Doe de ravioli op een met bloem bestoven bord en herhaal met het resterende deeg en de saus. Opzij zetten.

Verhit de olie in een grote koekenpan op middelhoog vuur. Voeg de sjalotten toe en kook, af en toe roerend, tot de sjalotjes diep goudbruin zijn maar niet verbrand, ongeveer 15 minuten. Roer de erwten erdoor en breng op smaak met peper en zout. Houd warm op een zeer laag vuur.

Kook de ravioli in een grote pan met kokend gezouten water tot ze naar boven komen drijven, ongeveer 5 minuten. Laat goed uitlekken en doe het in de pan met de sjalotten en erwten. Laat een minuut of twee koken om de smaken te mengen en doe het dan in een grote serveerschaal. Breng op smaak met veel peper en serveer onmiddellijk.

43. Artisjok-Walnoot Ravioli

Maakt 4 porties

- $^{1}/_{3}$ kopje plus 2 eetlepels olijfolie
- 3 teentjes knoflook, fijngehakt
- 1 (10 ounce) pakket bevroren spinazie, ontdooid en drooggeperst
- 1 kopje bevroren artisjokharten, ontdooid en gehakt
- $^{1}/_{3}$ kopje stevige tofu, uitgelekt en verkruimeld
- 1 kopje geroosterde walnootstukjes
- $^{1}/_{4}$ kop stevig verpakte verse peterselie
- Zout en versgemalen zwarte peper
- 1 recept Eivrij pastadeeg
- 12 verse salieblaadjes

Verhit 2 eetlepels olie in een grote koekenpan op middelhoog vuur. Voeg de knoflook, spinazie en artisjokharten toe. Dek af en kook tot de knoflook zacht is en de vloeistof is opgenomen, ongeveer 3 minuten, af en toe roerend. Breng het mengsel over naar een keukenmachine. Voeg de tofu, 1/4 kop walnoten, de peterselie en zout en peper naar smaak. Verwerk tot het fijngehakt en grondig gemengd is.

Zet opzij om af te koelen.

Om de ravioli te maken, rolt u het deeg zeer dun uit (ongeveer 1/8 inch) op een licht met bloem bestoven oppervlak en snijd het in reepjes van 2 inch breed. Plaats 1 volle theelepel vulling op een pastastrook, ongeveer 2,5 cm van de bovenkant. Plaats nog een theelepel vulling op de pastastrook, ongeveer 2,5 cm onder de eerste lepel vulling. Herhaal dit over de gehele lengte van de deegstrook.

Maak de randen van het deeg licht nat met water en leg een tweede strook pasta op de eerste, zodat de vulling bedekt is.

Druk de twee lagen deeg samen tussen de porties vulling. Gebruik een mes om de zijkanten van het deeg af te snijden, zodat het recht wordt, en snijd vervolgens het deeg tussen elke berg vulling door om vierkante ravioli te maken. Gebruik de tanden van een vork om langs de randen van het deeg te drukken om de ravioli dicht te plakken. Doe de ravioli op een met bloem bestoven bord en herhaal met het resterende deeg en de vulling.

Kook de ravioli in een grote pan met kokend gezouten water tot ze boven komen drijven, ongeveer 7 minuten. Laat goed uitlekken en zet opzij. Verhit de resterende 1/3 kop olie in een grote koekenpan op middelhoog vuur. Toevoegen de salie en de resterende ¾ kop walnoten en kook tot de salie knapperig wordt en de walnoten geurig worden.

Voeg de gekookte ravioli toe en kook, al roerend, zodat deze bedekt is met de saus en laat doorwarmen. Serveer onmiddellijk.

44. Tortellini met Sinaasappelsaus

Maakt 4 porties

- 1 eetlepel olijfolie
- 3 teentjes knoflook, fijngehakt
- 1 kopje stevige tofu, uitgelekt en verkruimeld
- ¾ kopje gehakte verse peterselie
- 1/4 kop veganistische Parmezaanse kaas of Parmasio
- Zout en versgemalen zwarte peper
- 1 recept Eivrij pastadeeg
- 2 1/2 kopjes marinarasaus, zelfgemaakt (zie Marinarasaus) of in de winkel gekocht Schil van 1 sinaasappel
- 1/2 theelepel gemalen rode peper

- $^1/_2$ kop sojacreamer of gewone, ongezoete sojamelk

Verhit de olie in een grote koekenpan op middelhoog vuur. Voeg de knoflook toe en kook tot hij zacht is, ongeveer 1 minuut. Roer de tofu, peterselie, Parmezaanse kaas en zout en zwarte peper naar smaak erdoor. Meng tot het goed gemengd is. Zet opzij om af te koelen.

Om de tortellini te maken, rolt u het deeg dun uit (ongeveer $^1/_8$ inch) en snijdt u het in vierkanten van 2 $^1/_2$ inch. Plaats

1 theelepel vulling net buiten het midden en vouw een hoek van het pastavierkant over de vulling om een driehoek te vormen. Druk de randen tegen elkaar om ze af te dichten, wikkel de driehoek vervolgens met de middelpunt naar beneden rond je wijsvinger en druk de uiteinden tegen elkaar aan zodat ze blijven plakken. Vouw de punt van de driehoek naar beneden en schuif van je vinger. Zet opzij op een licht met bloem bestoven bord en ga verder met de rest van het deeg en de vulling.

Meng in een grote pan de marinarasaus, de sinaasappelschil en de gemalen rode peper. Verwarm tot het heet is, roer dan de sojacreamer erdoor en houd warm op een zeer laag vuur.

Kook de tortellini in een pan met kokend gezouten water tot ze naar boven komen drijven, ongeveer 5 minuten. Laat goed uitlekken en doe het in een grote serveerschaal. Voeg de saus toe en roer voorzichtig om te combineren. Serveer onmiddellijk.

45. Groente Lo Mein Met Tofu

Maakt 4 porties

- 12 ons linguine
- 1 eetlepel geroosterde sesamolie
- 3 eetlepels sojasaus
- 2 eetlepels droge sherry
- 1 eetlepel water
- Snufje suiker
- 1 eetlepel maizena

- 2 eetlepels canola- of druivenpitolie
- 1 pond extra stevige tofu, uitgelekt en in blokjes gesneden
- 1 middelgrote ui, gehalveerd en in dunne plakjes gesneden
- 3 kopjes kleine broccoliroosjes
- 1 middelgrote wortel, in plakjes van $^{1}/_{4}$ inch gesneden
- 1 kopje gesneden verse shiitake of witte champignons
- 2 teentjes knoflook, fijngehakt
- 2 theelepels geraspte verse gember
- 2 groene uien, gehakt

Kook de linguine in een grote pan met kokend gezouten water, af en toe roerend, tot ze gaar is, ongeveer 10 minuten. Laat goed uitlekken en doe het in een kom. Voeg 1 theelepel sesamolie toe en roer om te coaten. Opzij zetten.

Meng in een kleine kom de sojasaus, sherry, water, suiker en de resterende 2 theelepels sesamolie. Voeg het maizena toe en roer om het op te lossen. Opzij zetten.

Verhit 1 eetlepel canola in een grote koekenpan of wok op middelhoog vuur. Voeg de tofu toe en kook tot hij goudbruin is, ongeveer 10 minuten. Haal uit de koekenpan en zet opzij.

Verwarm de resterende canola-olie in dezelfde koekenpan. Voeg de ui, broccoli en wortel toe en roerbak tot ze zacht zijn, ongeveer 7 minuten. Voeg de champignons, knoflook, gember en groene uien toe en roerbak 2 minuten. Roer de saus en de gekookte linguine erdoor en meng goed. Kook tot het is opgewarmd. Proef, pas de smaak aan en voeg indien nodig meer sojasaus toe. Serveer onmiddellijk.

46. Pad Thai

Maakt 4 porties

- 12 ons gedroogde rijstnoedels
- $^{1}/_{3}$ kop sojasaus
- 2 eetlepels vers limoensap
- 2 eetlepels lichtbruine suiker
- 1 eetlepel tamarindepasta (zie hoofdnoot)
- 1 eetlepel tomatenpuree
- 3 eetlepels water
- $^{1}/_{2}$ theelepel gemalen rode peper
- 3 eetlepels canola- of druivenpitolie
- 1 pond extra stevige tofu, uitgelekt, geperst (zie Tofu) en in dobbelstenen van $^{1}/_{2}$ inch gesneden

- 4 groene uien, gehakt
- 2 teentjes knoflook, fijngehakt
- 1/3 kopje grofgehakte drooggeroosterde ongezouten pinda's
- 1 kopje taugé, voor garnering
- 1 limoen, in partjes gesneden, voor garnering

Week de noedels in een grote kom met heet water tot ze zacht zijn, 5 tot 15 minuten, afhankelijk van de dikte van de noedels. Laat goed uitlekken en spoel af onder koud water. Doe de uitgelekte noedels in een grote kom en zet opzij.

Meng in een kleine kom de sojasaus, het limoensap, de suiker, de tamarindepasta, de tomatenpuree, het water en de gemalen rode peper. Roer goed door elkaar en zet opzij.

Verhit 2 eetlepels olie in een grote koekenpan of wok op middelhoog vuur. Voeg de tofu toe en roerbak tot hij goudbruin is, ongeveer 5 minuten. Doe over in een schaal en zet opzij.

Verhit in dezelfde koekenpan of wok de resterende 1 eetlepel olie op middelhoog vuur. Voeg de ui toe en roerbak 1 minuut. Voeg de groene uien en knoflook toe, roerbak gedurende 30 seconden, voeg dan de gekookte tofu toe en kook ongeveer 5 minuten, af en toe roerend, tot ze goudbruin zijn. Voeg de gekookte noedels toe en roer om te combineren en door te verwarmen.

Roer de saus erdoor en kook, roer goed door en voeg indien nodig een scheutje extra water toe. om vastlopen te voorkomen. Als de noedels warm en zacht zijn, schik ze dan op een serveerschaal en bestrooi met pinda's en koriander. Garneer met taugé en partjes limoen aan de zijkant van de schaal. Heet opdienen.

47. Dronken Spaghetti met Tofu

Maakt 4 porties

- 12 ons spaghetti
- 3 eetlepels sojasaus
- 1 eetlepel vegetarische oestersaus (optioneel)
- 1 theelepel lichtbruine suiker
- 8 ons extra stevige tofu, uitgelekt en geperst (zie Tofu)
- 2 eetlepels canola- of druivenpitolie
- 1 middelgrote rode ui, in dunne plakjes gesneden
- 1 middelgrote rode paprika, in dunne plakjes gesneden

- 1 kopje peultjes, bijgesneden
- 2 teentjes knoflook, fijngehakt
- 1/2 theelepel gemalen rode peper
- 1 kopje verse Thaise basilicumblaadjes

Kook de spaghetti in een pan met kokend gezouten water op middelhoog vuur, af en toe roerend, tot ze beetgaar zijn, ongeveer 8 minuten. Laat goed uitlekken en doe het in een grote kom. Meng in een kleine kom de sojasaus, de oestersaus (indien gebruikt) en de suiker. Meng goed, giet het dan op de gereserveerde spaghetti en roer om. Opzij zetten.

Snij de tofu in reepjes van 1/2 inch. Verhit 1 eetlepel olie in een grote koekenpan of wok op middelhoog vuur. Voeg de tofu toe en kook tot hij goudbruin is, ongeveer 5 minuten. Haal uit de koekenpan en zet opzij.

Zet de koekenpan terug op het vuur en voeg de resterende 1 eetlepel canola-olie toe. Voeg de ui, paprika, peultjes, knoflook en gemalen rode peper toe. Roerbak tot de groenten net gaar zijn, ongeveer 5 minuten. Voeg het gekookte spaghetti- en sausmengsel, de gekookte tofu en de basilicum toe en roerbak tot het heet is, ongeveer 4 minuten.

TEMPEH

1. Spaghetti in Carbonara-stijl

Maakt 4 porties

- 2 eetlepels olijfolie
- 3 middelgrote sjalotten, fijngehakt
- 4 ons tempeh spek, zelfgemaakt (zie Tempeh Bacon) of in de winkel gekocht, gehakt
- 1 kopje gewone, ongezoete sojamelk
- 1/2 kopje zachte of zijden tofu, uitgelekt
- 1/4 kopje voedingsgist
- Zout en versgemalen zwarte peper
- 1 pond spaghetti
- 3 eetlepels gehakte verse peterselie

Verhit de olie in een grote koekenpan op middelhoog vuur. Voeg de sjalotjes toe en kook tot ze gaar zijn, ongeveer 5 minuten. Voeg het tempehbacon toe en kook, onder regelmatig roeren, tot het lichtbruin is, ongeveer 5 minuten. Opzij zetten.

Meng in een blender de sojamelk, tofu, edelgistvlokken en zout en peper naar smaak. Mixen tot een gladde substantie. Opzij zetten.

Kook de spaghetti in een grote pan met kokend gezouten water op middelhoog vuur, af en toe roerend, tot ze beetgaar zijn, ongeveer 10 minuten. Laat goed uitlekken en doe het in een grote serveerschaal. Voeg het tofumengsel, 1/4 kopje Parmezaanse kaas en op twee na alle eetlepels van het tempeh-spekmengsel toe.

Meng voorzichtig om te combineren en te proeven, pas indien nodig de kruiden aan en voeg een beetje meer sojamelk toe als het te droog is. Bestrooi met verschillende malen peper, het resterende tempeh-spek, de resterende Parmezaanse kaas en peterselie. Serveer onmiddellijk.

2. Tempeh en Groenten Roerbak

Maakt 4 porties

- 10 ons tempeh
- Zout en versgemalen zwarte peper
- 2 theelepels maizena
- 4 kopjes kleine broccoliroosjes
- 2 eetlepels canola- of druivenpitolie
- 2 eetlepels sojasaus
- 2 eetlepels water
- 1 eetlepel mirin
- $^1/_2$ theelepel gemalen rode peper
- 2 theelepels geroosterde sesamolie
- 1 middelgrote rode paprika, in plakjes van $^1/_2$ inch gesneden
- 6 ons witte champignons, licht gespoeld, drooggedept en in plakjes van $^1/_2$ inch gesneden
- 2 teentjes knoflook, fijngehakt
- 3 eetlepels gehakte groene uien

- 1 theelepel geraspte verse gember

Kook de tempeh in een middelgrote pan met kokend water gedurende 30 minuten. Giet af, dep droog en zet opzij om af te koelen. Snijd de tempeh in blokjes van $^1/_2$ inch en doe ze in een ondiepe kom. Breng op smaak met zout en zwarte peper, bestrooi met maizena en roer om. Opzij zetten.

Stoom de broccoli lichtjes tot hij bijna gaar is, ongeveer 5 minuten. Laat het onder koud water lopen om het kookproces te stoppen en de heldergroene kleur te behouden. Opzij zetten.

Verhit 1 eetlepel canola-olie in een grote koekenpan of wok op middelhoog vuur. Voeg de tempeh toe en roerbak tot hij goudbruin is, ongeveer 5 minuten. Haal uit de koekenpan en zet opzij.

Meng in een kleine kom de sojasaus, het water, de mirin, de gemalen rode peper en de sesamolie. Opzij zetten.

Verwarm dezelfde koekenpan opnieuw op middelhoog vuur. Voeg de resterende 1 eetlepel canola-olie toe. Voeg de paprika en champignons toe en roerbak tot ze zacht zijn, ongeveer 3 minuten. Voeg de knoflook, groene uien en gember toe en roerbak 1 minuut. Voeg de gestoomde broccoli en gebakken tempeh toe en roerbak 1 minuut. Roer het sojasausmengsel erdoor en roerbak tot de tempeh en de groenten heet zijn en goed bedekt zijn met de saus. Serveer onmiddellijk.

3. Teriyaki Tempeh

Maakt 4 porties

- , in plakjes van 1/4 inch gesneden
- 1/4 kop vers citroensap
- 1 theelepel gehakte knoflook
- 2 eetlepels gehakte groene uien
- 2 theelepels geraspte verse gember
- 1 eetlepel suiker
- 2 eetlepels geroosterde sesamolie
- 1 eetlepel maizena
- 2 eetlepels water
- 2 eetlepels canola- of druivenpitolie

Kook de tempeh in een middelgrote pan met kokend water gedurende 30 minuten. Giet af en doe het in een grote, ondiepe schaal. Meng in een kleine kom de sojasaus, citroensap, knoflook, groene uien, gember, suiker, sesamolie, maizena en water. Meng goed en giet de marinade over de gekookte tempeh, terwijl je hem omdraait. Marineer de tempeh gedurende 1 uur.

Verhit de canola-olie in een grote koekenpan op middelhoog vuur. Haal de tempeh uit de marinade en bewaar de marinade. Voeg de tempeh toe aan de hete koekenpan en kook tot hij aan beide kanten goudbruin is, ongeveer 4 minuten per kant. Voeg de gereserveerde marinade toe en laat sudderen tot de vloeistof dikker wordt, ongeveer 8 minuten. Serveer onmiddellijk.

4. Gebarbecuede Tempeh

Maakt 4 porties

- 1 pond tempeh, in repen van 2 inch gesneden
- 2 eetlepels olijfolie
- 1 middelgrote ui, gehakt
- 1 middelgrote rode paprika, fijngehakt
- 2 teentjes knoflook, fijngehakt
- (14,5 ounce) kan tomaten vermalen
- 2 eetlepels donkere melasse
- 2 eetlepels appelazijn
- eetlepel sojasaus
- 2 theelepels pikante bruine mosterd
- 1 eetlepel suiker
- $^1/_2$ theelepel zout
- $^1/_4$ theelepel gemalen piment
- $^1/_4$ theelepel gemalen cayennepeper

Kook de tempeh in een middelgrote pan met kokend water gedurende 30 minuten. Giet af en zet opzij.

Verhit 1 eetlepel olie in een grote pan op middelhoog vuur. Voeg de ui, paprika en knoflook toe. Dek af en kook tot het zacht is, ongeveer 5 minuten. Roer de tomaten, melasse, azijn, sojasaus, mosterd, suiker, zout, piment en cayennepeper erdoor en breng aan de kook. Zet het vuur laag en laat het, onafgedekt, 20 minuten sudderen.

Verhit de resterende 1 eetlepel olie in een grote koekenpan op middelhoog vuur. Voeg de tempeh toe en kook tot hij goudbruin is, draai hem één keer om, ongeveer 10 minuten. Voeg voldoende saus toe om de tempeh royaal te bedekken. Dek af en laat ongeveer 15 minuten sudderen om de smaken te mengen. Serveer onmiddellijk.

5. Sinaasappel-Bourbon Tempeh

Voor 4 tot 6 porties

- 2 kopjes water
- $^1/_2$ kop sojasaus
- dunne plakjes verse gember
- 2 teentjes knoflook, in plakjes gesneden
- 1 pond tempeh, in dunne plakjes gesneden
- Zout en versgemalen zwarte peper
- $^1/_4$ kopje canola- of druivenpitolie
- 1 eetlepel lichtbruine suiker
- $^1/_8$ theelepel gemalen piment
- $^1/_3$ kop vers sinaasappelsap
- $^1/_4$ kop bourbon of 5 sinaasappelschijfjes, gehalveerd
- 1 eetlepel maïzena gemengd met 2 eetlepels water

Meng in een grote pan het water, de sojasaus, de gember, de knoflook en de sinaasappelschil. Doe de tempeh in de marinade en breng aan de kook. Zet het vuur laag en laat 30 minuten sudderen. Haal de tempeh uit de marinade en bewaar de marinade. Bestrooi de tempeh met peper en zout naar smaak. Doe de bloem in een ondiepe kom. Haal de gekookte tempeh door de bloem en zet opzij.

Verhit de olie in een grote koekenpan op middelhoog vuur. Voeg de tempeh toe, indien nodig in batches, en kook tot hij aan beide kanten bruin is, ongeveer 4 minuten per kant. Roer geleidelijk de gereserveerde marinade erdoor. Voeg de suiker, piment, sinaasappelsap en bourbon toe. Beleg de tempeh met de sinaasappelschijfjes. Dek af en laat sudderen tot de saus stroperig is en de smaken zijn versmolten, ongeveer 20 minuten.

Gebruik een schuimspaan of spatel om de tempeh uit de pan te halen en over te brengen naar een serveerschaal. Blijf warm. Voeg het maïzenamengsel toe aan de saus en kook al roerend tot het dikker wordt. Zet het vuur laag en laat het zonder deksel onder voortdurend roeren sudderen tot de saus dikker is geworden. Schep de saus over de tempeh en serveer direct.

6. Tempeh en Zoete Aardappelen

Maakt 4 porties

- 1 pond tempé
- 2 eetlepels sojasaus
- 1 theelepel gemalen koriander
- $^{1}/_{2}$ theelepel kurkuma
- 2 eetlepels olijfolie
- 3 grote sjalotten, gehakt
- 1 of 2 middelgrote zoete aardappelen, geschild en in dobbelsteentjes van $^{1}/_{2}$ inch gesneden
- 2 theelepels geraspte verse gember
- 1 kopje ananassap
- 2 theelepels lichtbruine suiker
- Sap van 1 limoen

Kook de tempeh in een middelgrote pan met kokend water gedurende 30 minuten. Breng het over naar een ondiepe kom. Voeg 2 eetlepels sojasaus, koriander en kurkuma toe en roer goed door. Opzij zetten.

Verhit 1 eetlepel olie in een grote koekenpan op middelhoog vuur. Voeg de tempeh toe en bak tot hij aan beide kanten bruin is, ongeveer 4 minuten per kant. Haal uit de koekenpan en zet opzij.

Verhit in dezelfde koekenpan de resterende 2 eetlepels olie op middelhoog vuur. Voeg de sjalotten en zoete aardappelen toe. Dek af en kook tot het enigszins zacht en lichtbruin is, ongeveer 10 minuten. Roer de gember, het ananassap, de resterende 1 eetlepel sojasaus en de suiker erdoor en roer alles door elkaar. Zet het vuur laag, voeg de gekookte tempeh toe, dek af en kook tot de aardappelen zacht zijn, ongeveer 10 minuten. Doe de tempeh en de zoete aardappelen in een serveerschaal en houd ze warm. Roer het limoensap door de saus en laat 1 minuut sudderen om de smaken te mengen. Giet de saus over de tempeh en serveer onmiddellijk.

7. Creoolse Tempeh

Voor 4 tot 6 porties

- , in plakjes van 1/4 inch gesneden
- 1/4 kop sojasaus
- 2 eetlepels Creoolse kruiden
- 1/2 kopje bloem voor alle doeleinden
- 2 eetlepels olijfolie
- 1 middelgrote zoete gele ui, gehakt
- 2 bleekselderijribben, gehakt
- 1 middelgrote groene paprika, gehakt
- 3 teentjes knoflook, gehakt
- 1 blikje tomatenblokjes, uitgelekt
- 1 theelepel gedroogde tijm
- 1/2 kopje droge witte wijn
- Zout en versgemalen zwarte peper

Doe de tempeh in een grote pan met voldoende water om onder water te staan. Voeg de sojasaus en 1 eetlepel Creoolse kruiden toe. Dek af en laat 30 minuten sudderen. Haal de tempeh uit de vloeistof en zet opzij, bewaar de vloeistof.

Meng de bloem in een ondiepe kom met de resterende 2 eetlepels Creoolse kruiden en meng goed. Haal de tempeh door het bloemmengsel en bedek hem goed. Verhit 1 eetlepel olie in een grote koekenpan op middelhoog vuur. Voeg de uitgebaggerde tempeh toe en kook tot hij aan beide kanten bruin is, ongeveer 4 minuten per kant. Haal de tempeh uit de pan en zet opzij.

Verhit in dezelfde koekenpan de resterende 1 eetlepel olie op middelhoog vuur. Voeg de ui, selderij, paprika en knoflook toe. Dek af en kook tot de groenten zacht zijn, ongeveer 10 minuten. Roer de tomaten erdoor en doe de tempeh terug in de pan, samen met de tijm, de wijn en 1 kopje van het gereserveerde kookvocht. Breng op smaak met zout en peper. Breng aan de kook en kook, onafgedekt, ongeveer 30 minuten om de vloeistof te verminderen en de smaken te mengen. Serveer onmiddellijk.

8. Tempeh met Citroen en Kappertjes

Voor 4 tot 6 porties

- 1 pond tempeh, horizontaal gesneden in plakjes van $^{1/4}$ inch
- $^{1}/_{2}$ kop sojasaus
- $^{1}/_{2}$ kopje bloem voor alle doeleinden
- Zout en versgemalen zwarte peper
- 2 eetlepels olijfolie
- 2 middelgrote sjalotten, fijngehakt
- 2 teentjes knoflook, fijngehakt
- 2 eetlepels kappertjes
- $^{1}/_{2}$ kopje droge witte wijn
- $^{1}/_{2}$ kop groentebouillon, zelfgemaakt (zie Lichte groentebouillon) of in de winkel gekocht
- 2 eetlepels veganistische margarine
- Sap van 1 citroen
- 2 eetlepels gehakte verse peterselie

Doe de tempeh in een grote pan met voldoende water om onder water te staan. Voeg de sojasaus toe en laat 30 minuten koken. Haal de tempeh uit de pan en zet opzij om af te koelen. Meng in een ondiepe kom de bloem en zout en peper naar smaak. Haal de tempeh door het bloemmengsel en bestrijk beide kanten ermee. Opzij zetten.

Verhit 2 eetlepels olie in een grote koekenpan op middelhoog vuur. Voeg de tempeh toe, indien nodig in batches, en kook tot hij aan beide kanten bruin is, in totaal ongeveer 8 minuten. Haal de tempeh uit de pan en zet opzij.

Verhit in dezelfde koekenpan de resterende 1 eetlepel olie op middelhoog vuur. Voeg de sjalotten toe en kook ongeveer 2 minuten. Voeg de knoflook toe en roer de kappertjes, wijn en bouillon erdoor. Doe de tempeh terug in de pan en laat 6 tot 8 minuten sudderen. Roer de margarine, het citroensap en de peterselie erdoor en roer om de margarine te laten smelten. Serveer onmiddellijk.

9. Tempeh met esdoorn- en balsamicoglazuur

Maakt 4 porties

- 1 pond tempeh, in repen van 2 inch gesneden
- 2 eetlepels balsamicoazijn
- 2 eetlepels pure ahornsiroop
- 1 $^1/_2$ eetlepels pikante bruine mosterd
- 1 theelepel Tabasco-saus
- 1 eetlepel olijfolie
- 2 teentjes knoflook, fijngehakt
- $^1/_2$ kop groentebouillon, zelfgemaakt (zie Lichte groentebouillon) of in de winkel gekocht Zout en versgemalen zwarte peper

Kook de tempeh in een middelgrote pan met kokend water gedurende 30 minuten. Giet af en dep droog.

Meng in een kleine kom de azijn, ahornsiroop, mosterd en tabasco. Opzij zetten.

Verhit de olie in een grote koekenpan op middelhoog vuur. Voeg de tempeh toe en bak tot hij aan beide kanten bruin is, één keer draaien, ongeveer 4 minuten per kant. Voeg de knoflook toe en kook 30 seconden langer.

Roer de bouillon en zout en peper naar smaak erdoor. Verhoog het vuur tot middelhoog en kook, onafgedekt, ongeveer 3 minuten, of tot de vloeistof bijna is verdampt.

Voeg het gereserveerde mosterdmengsel toe en kook gedurende 1 tot 2 minuten. Draai de tempeh om zodat deze bedekt is met de saus en mooi glaceert. Pas op dat u niet verbrandt. Serveer onmiddellijk.

10. Verleidelijke Tempeh Chili

Voor 4 tot 6 porties

- 1 pond tempé
- 1 eetlepel olijfolie
- 1 middelgrote gele ui, gehakt
- 1 middelgrote groene paprika, gehakt
- 2 teentjes knoflook, fijngehakt
- eetlepels chilipoeder
- 1 theelepel gedroogde oregano
- 1 theelepel gemalen komijn

- (28 ounce) kan tomaten vermalen
- $^{1}/_{2}$ kopje water, plus meer indien nodig
- 1 $^{1}/_{2}$ kopjes gekookt of 1 (15,5 ounce) blik pintobonen, uitgelekt en gespoeld
- 1 (4 ounce) kan milde groene pepers fijnhakken, uitgelekt
- Zout en versgemalen zwarte peper
- 2 eetlepels gehakte verse koriander

Kook de tempeh in een middelgrote pan met kokend water gedurende 30 minuten. Giet af, laat afkoelen, hak fijn en zet opzij.

Verhit de olie in een grote pan. Voeg de ui, paprika en knoflook toe, dek af en kook tot ze zacht zijn, ongeveer 5 minuten. Voeg de tempeh toe en kook, onafgedekt, tot hij goudbruin is, ongeveer 5 minuten. Voeg het chilipoeder, oregano en komijn toe. Roer de tomaten, het water, de bonen en de chilipepers erdoor. Breng op smaak met zout en zwarte peper. Meng goed om te combineren.

Breng aan de kook, zet het vuur laag, dek af en laat 45 minuten sudderen, af en toe roeren, en indien nodig een beetje meer water toevoegen.

Bestrooi met koriander en serveer onmiddellijk.

11. Tempeh Cacciatore

Voor 4 tot 6 porties

- 1 pond tempeh, in dunne plakjes gesneden
- 2 eetlepels canola- of druivenpitolie
- 1 middelgrote rode ui, in dobbelstenen van 1/2 inch gesneden
- middelgrote rode paprika, in dobbelsteentjes van 1/2 inch gesneden
- middelgrote wortel, in plakjes van 1/4 inch gesneden
- 2 teentjes knoflook, fijngehakt
- 1 (28 ounce) blik tomatenblokjes, uitgelekt
- 1/4 kop droge witte wijn
- 1 theelepel gedroogde oregano
- 1 theelepel gedroogde basilicum
- Zout en versgemalen zwarte peper

Kook de tempeh in een middelgrote pan met kokend water gedurende 30 minuten. Giet af en dep droog.

Verhit 1 eetlepel olie in een grote koekenpan op middelhoog vuur. Voeg de tempeh toe en kook tot hij aan beide kanten bruin is, in totaal 8 tot 10 minuten. Haal uit de koekenpan en zet opzij.

Verhit in dezelfde koekenpan de resterende 1 eetlepel olie op middelhoog vuur. Voeg de ui, paprika, wortel en knoflook toe. Dek af en kook tot het zacht is, ongeveer 5 minuten. Voeg de tomaten, wijn, oregano, basilicum en zout en zwarte peper naar smaak toe en breng aan de kook. Zet het vuur laag, voeg de gereserveerde tempeh toe en laat onafgedekt sudderen tot de groenten zacht zijn en de smaken goed gecombineerd zijn, ongeveer 30 minuten. Serveer onmiddellijk.

12. Indonesische Tempeh In Kokosjus

Voor 4 tot 6 porties

- , in plakjes van 1/4 inch gesneden
- 2 eetlepels canola- of druivenpitolie
- 1 middelgrote gele ui, gehakt
- 3 teentjes knoflook, fijngehakt
- 1 middelgrote rode paprika, gehakt
- 1 middelgrote groene paprika, gehakt
- 1 of 2 kleine Serrano of andere verse hete chilipepers, zonder zaadjes en fijngehakt
- 1 blikje tomatenblokjes, uitgelekt
- 1 (13,5 ounce) blikje ongezoete kokosmelk
- Zout en versgemalen zwarte peper
- 1/2 kopje ongezouten geroosterde pinda's, gemalen of gemalen, voor garnering
- 2 eetlepels gehakte verse koriander, voor garnering

Kook de tempeh in een middelgrote pan met kokend water gedurende 30 minuten. Giet af en dep droog.

Verhit 1 eetlepel olie in een grote koekenpan op middelhoog vuur. Voeg de tempeh toe en kook tot hij aan beide kanten goudbruin is, ongeveer 10 minuten. Haal uit de koekenpan en zet opzij.

Verhit in dezelfde koekenpan de resterende 1 eetlepel olie op middelhoog vuur. Voeg de ui, knoflook, rode en groene paprika en chilipepers toe. Dek af en kook tot het zacht is, ongeveer 5 minuten. Roer de tomaten en kokosmelk erdoor. Zet het vuur laag, voeg de gereserveerde tempeh toe, breng op smaak met zout en peper en laat onafgedekt sudderen tot de saus iets is ingekookt, ongeveer 30 minuten. Bestrooi met pinda's en koriander en serveer onmiddellijk.

13. Gember-Pinda Tempeh

Maakt 4 porties

- 1 pond tempeh, in dobbelstenen van $^{1}/_{2}$ inch gesneden
- 2 eetlepels canola- of druivenpitolie
- middelgrote rode paprika, in dobbelsteentjes van $^{1}/_{2}$ inch gesneden
- 3 teentjes knoflook, fijngehakt
- klein bosje groene uien, gehakt
- 2 eetlepels geraspte verse gember
- 2 eetlepels sojasaus
- 1 eetlepel suiker
- $^{1}/_{4}$ theelepel gemalen rode peper
- 1 eetlepel maizena
- 1 kopje water
- 1 kopje gemalen ongezouten geroosterde pinda's
- 2 eetlepels gehakte verse koriander

Kook de tempeh in een middelgrote pan met kokend water gedurende 30 minuten. Giet af en dep droog. Verhit de olie in een grote koekenpan of wok op middelhoog vuur. Voeg de tempeh toe en kook tot hij lichtbruin is, ongeveer 8 minuten. Voeg de paprika toe en roerbak tot hij zacht is, ongeveer 5 minuten. Voeg de knoflook, groene uien en gember toe en roerbak tot ze geurig zijn, 1 minuut.

Meng in een kleine kom de sojasaus, suiker, gemalen rode paprika, maizena en water. Meng goed en giet het in de koekenpan. Kook al roerend gedurende 5 minuten, tot het iets dikker is. Roer de pinda's en koriander erdoor. Serveer onmiddellijk.

14. Tempeh met Aardappelen en Kool

Maakt 4 porties

- 1 pond tempeh, in dobbelstenen van $^{1}/_{2}$ inch gesneden
- 2 eetlepels canola- of druivenpitolie
- 1 middelgrote gele ui, gehakt
- 1 middelgrote wortel, gehakt
- 1 $^{1}/_{2}$ eetlepels zoete Hongaarse paprika
- 2 middelgrote roodbruine aardappelen, geschild en in dobbelstenen van $^{1}/_{2}$ inch gesneden
- 3 kopjes geraspte kool
- 1 blikje tomatenblokjes, uitgelekt
- $^{1}/_{4}$ kopje droge witte wijn
- 1 kopje groentebouillon, zelfgemaakt (zie Lichte groentebouillon) of in de winkel gekocht Zout en versgemalen zwarte peper
- $^{1}/_{2}$ kop veganistische zure room, zelfgemaakt (zie Tofu Sour Cream) of in de winkel gekocht (optioneel)

Kook de tempeh in een middelgrote pan met kokend water gedurende 30 minuten. Giet af en dep droog.

Verhit 1 eetlepel olie in een grote koekenpan op middelhoog vuur. Voeg de tempeh toe en kook tot hij aan beide kanten goudbruin is, ongeveer 10 minuten. Haal de tempeh eruit en zet opzij.

Verhit in dezelfde koekenpan de resterende 1 eetlepel olie op middelhoog vuur. Voeg de ui en wortel toe, dek af en kook tot ze zacht zijn, ongeveer 10 minuten. Roer de paprika, aardappelen, kool, tomaten, wijn en bouillon erdoor en breng aan de kook. Breng op smaak met zout en peper

Zet het vuur middelhoog, voeg de tempeh toe en laat 30 minuten onafgedekt sudderen, of tot de groenten gaar zijn en de smaken zijn gemengd. Klop de zure room erdoor, indien gebruikt, en serveer onmiddellijk.

15. Zuidelijke Succotash-stoofpot

Maakt 4 porties

- 10 ons tempeh
- 2 eetlepels olijfolie
- 1 grote zoete gele ui, fijngehakt
- 2 middelgrote roodbruine aardappelen, geschild en in dobbelstenen van $^1/_2$ inch gesneden
- 1 blikje tomatenblokjes, uitgelekt
- 1 (16 ounce) pakket bevroren succotash
- 2 kopjes groentebouillon, zelfgemaakt (zie Lichte groentebouillon) of in de winkel gekocht, of water
- 2 eetlepels sojasaus
- 1 theelepel droge mosterd
- 1 theelepel suiker
- $^1/_2$ theelepel gedroogde tijm
- $^1/_2$ theelepel gemalen piment
- $^1/_4$ theelepel gemalen cayennepeper
- Zout en versgemalen zwarte peper

Kook de tempeh in een middelgrote pan met kokend water gedurende 30 minuten. Giet af, dep droog en snijd in dobbelstenen van 1 inch.

Verhit 1 eetlepel olie in een grote koekenpan op middelhoog vuur. Voeg de tempeh toe en kook tot hij aan beide kanten bruin is, ongeveer 10 minuten. Opzij zetten.

Verhit de resterende 1 eetlepel olie in een grote pan op middelhoog vuur. Voeg de ui toe en kook tot hij zacht is, 5 minuten. Voeg de aardappelen, wortels, tomaten, succotash, bouillon, sojasaus, mosterd, suiker, tijm, piment en cayennepeper toe. Breng op smaak met zout en peper. Breng aan de kook, zet het vuur laag en voeg de tempeh toe. Laat afgedekt sudderen tot de groenten gaar zijn, af en toe roerend, ongeveer 45 minuten.

Ongeveer 10 minuten voordat de stoofpot klaar is met koken, roer de vloeibare rook erdoor. Proef, pas eventueel de smaakmakers aan

Serveer onmiddellijk.

16. Gebakken Jambalaya-braadpan

Maakt 4 porties

- 10 ons tempeh
- 2 eetlepels olijfolie
- 1 middelgrote gele ui, gehakt
- 1 middelgrote groene paprika, gehakt
- 2 teentjes knoflook, fijngehakt
- 1 (28 ounce) blikje tomatenblokjes, ongedraineerd

- 1/2 kop witte rijst
- 1 1/2 kopjes groentebouillon, zelfgemaakt (zie Lichte groentebouillon) of in de winkel gekocht, of water
- 1 1/2 kopjes gekookt of 1 (15,5 ounce) blik donkerrode bruine bonen, uitgelekt en gespoeld
- 1 eetlepel gehakte verse peterselie
- 1 1/2 theelepels Cajunkruiden
- 1 theelepel gedroogde tijm
- 1/2 theelepel zout
- 1/4 theelepel versgemalen zwarte peper

Kook de tempeh in een middelgrote pan met kokend water gedurende 30 minuten. Giet af en dep droog. Snijd in dobbelstenen van 1/2 inch. Verwarm de oven voor op 350 ° F.

Verhit 1 eetlepel olie in een grote koekenpan op middelhoog vuur. Voeg de tempeh toe en bak tot hij aan beide kanten bruin is, ongeveer 8 minuten. Breng de tempeh over naar een ovenschaal van 9 x 13 inch en zet opzij.

Verhit in dezelfde koekenpan de resterende 1 eetlepel olie op middelhoog vuur. Voeg de ui, paprika en knoflook toe. Dek af en kook tot de groenten zacht zijn, ongeveer 7 minuten.

Voeg het groentemengsel toe aan de ovenschaal met de tempeh. Roer de tomaten met hun vloeistof, de rijst, bouillon, bruine bonen, peterselie, cajunkruiden, tijm, zout en zwarte peper erdoor. Meng goed, dek het goed af en bak tot de rijst gaar is, ongeveer 1 uur. Serveer onmiddellijk.

17. Tempeh en Zoete Aardappeltaart

Maakt 4 porties

- 8 ons tempeh
- 3 middelgrote zoete aardappelen, geschild en in dobbelsteentjes van $^{1}/_{2}$ inch gesneden
- 2 eetlepels veganistische margarine
- $^{1}/_{4}$ kopje ongezoete sojamelk
- Zout en versgemalen zwarte peper
- 2 eetlepels olijfolie
- 1 middelgrote gele ui, fijngehakt
- 2 middelgrote wortels, gehakt
- 1 kopje bevroren erwten, ontdooid
- 1 kopje bevroren maïskorrels, ontdooid
- 1 $^{1}/_{2}$ kopjes Champignonsaus
- $^{1}/_{2}$ theelepel gedroogde tijm

Kook de tempeh in een middelgrote pan met kokend water gedurende 30 minuten. Giet af en dep droog. Snijd de tempeh fijn en zet deze opzij.

Stoom de zoete aardappelen tot ze gaar zijn, ongeveer 20 minuten. Verwarm de oven voor op 350 ° F. Pureer de zoete aardappelen met de margarine, sojamelk en zout en peper naar smaak. Opzij zetten.

Verhit 1 eetlepel olie in een grote koekenpan op middelhoog vuur. Voeg de ui en de wortels toe, dek af en kook tot ze zacht zijn, ongeveer 10 minuten. Breng over naar een bakvorm van 10 inch.

Verhit in dezelfde koekenpan de resterende 1 eetlepel olie op middelhoog vuur. Voeg de tempeh toe en kook tot hij aan beide kanten bruin is, 8 tot 10 minuten. Voeg de tempeh toe aan de bakvorm met de ui en wortels. Roer de erwten, maïs en champignonsaus erdoor. Voeg de tijm en zout en peper naar smaak toe. Roer om te combineren.

Verdeel de zoete aardappelpuree erover en verdeel het met een spatel gelijkmatig naar de randen van de pan. Bak tot de aardappelen lichtbruin zijn en de vulling heet is, ongeveer 40 minuten. Serveer onmiddellijk.

18. Met aubergine en tempeh gevulde pasta

Maakt 4 porties

- 8 ons tempeh
- 1 middelgrote aubergine
- 12 grote pastaschelpen
- 1 teentje knoflook, gepureerd
- $^{1}/_{4}$ theelepel gemalen cayennepeper
- Zout en versgemalen zwarte peper
- Droog ongekruid broodkruimels

- 3 kopjes marinarasaus, zelfgemaakt (zie Marinarasaus) of in de winkel gekocht

Kook de tempeh in een middelgrote pan met kokend water gedurende 30 minuten. Giet af en zet opzij om af te koelen.

Verwarm de oven voor op 450 ° F. Prik de aubergine in met een vork en bak op een licht geoliede bakplaat tot ze zacht is, ongeveer 45 minuten.

Terwijl de aubergine aan het bakken is, kook je de pastaschelpen in een pan met kokend gezouten water, af en toe roerend, tot ze beetgaar zijn, ongeveer 7 minuten. Giet af en laat onder koud water lopen. Opzij zetten.

Haal de aubergine uit de oven, halveer hem in de lengte en laat het vocht weglopen. Verlaag de oventemperatuur tot 350 ° F. Vet een bakvorm van 9 x 13 inch lichtjes in. Verwerk de knoflook in een keukenmachine tot hij fijngemalen is. Voeg de tempeh toe en pulseer tot het grof gemalen is. Schraap de auberginepulp uit de schil en doe deze samen met de tempeh en knoflook in de keukenmachine. Voeg de cayennepeper toe, breng op smaak met zout en peper en pulseer om te combineren. Als de vulling los zit, voeg dan wat paneermeel toe.

Verdeel een laagje tomatensaus op de bodem van de voorbereide ovenschaal. Vul de vulling in de schelpen tot ze goed verpakt zijn.

Schik de schelpen op de saus en giet de resterende saus over en rond de schelpen. Dek af met folie en bak tot het heet is, ongeveer 30 minuten. Ontdek, bestrooi met de

Parmezaanse kaas en bak 10 minuten langer. Serveer onmiddellijk.

19. Singapore Noedels Met Tempeh

Maakt 4 porties

- dobbelstenen van $^1/_2$ inch gesneden
- 8 ons rijstvermicelli
- 1 eetlepel geroosterde sesamolie
- 2 eetlepels canola- of druivenpitolie
- 4 eetlepels sojasaus
- $^1/_3$ kopje romige pindakaas
- $^1/_2$ kop ongezoete kokosmelk
- $^1/_2$ kopje water
- 1 eetlepel vers citroensap
- 1 theelepel lichtbruine suiker
- $^1/_2$ theelepel gemalen cayennepeper
- 1 middelgrote rode paprika, gehakt

- 3 kopjes geraspte kool
- 3 teentjes knoflook
- 1 kopje gehakte groene uien
- 2 theelepels geraspte verse gember
- 1 kopje bevroren erwten, ontdooid
- Zout
- 1/4 kop gehakte ongezouten geroosterde pinda's, voor garnering
- 2 eetlepels gehakte verse koriander, voor garnering

Kook de tempeh in een middelgrote pan met kokend water gedurende 30 minuten. Giet af en dep droog. Week de rijstvermicelli in een grote kom met heet water tot ze zacht zijn, ongeveer 5 minuten. Laat goed uitlekken, spoel af en doe het in een grote kom. Meng met de sesamolie en zet opzij.

Verhit 1 eetlepel canola-olie in een grote koekenpan op middelhoog vuur. Voeg de gekookte tempeh toe en kook tot hij aan alle kanten bruin is. Voeg 1 eetlepel sojasaus toe om kleur en smaak toe te voegen. Haal de tempeh uit de pan en zet opzij.

Meng in een blender of keukenmachine de pindakaas, kokosmelk, water, citroensap, suiker, cayennepeper en de resterende 3 eetlepels sojasaus. Verwerk tot een gladde massa en zet opzij.

Verhit de resterende 1 eetlepel canola-olie in een grote koekenpan op middelhoog vuur. Voeg de paprika, kool, knoflook, groene uien en gember toe en kook, af en toe roerend, tot ze zacht zijn, ongeveer 10 minuten. Zet het vuur laag; roer de erwten, de gebruinde tempeh en de zachte noedels erdoor. Roer de saus erdoor, voeg zout naar smaak toe en laat sudderen tot het heet is.

Doe het in een grote serveerschaal, garneer met gehakte pinda's en koriander en serveer.

20. Tempeh spek

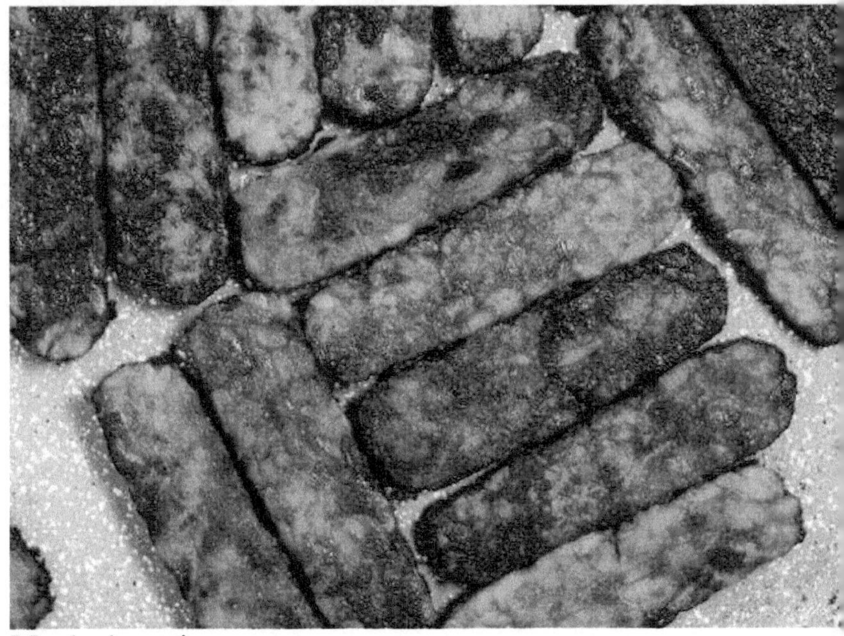

Maakt 4 porties

6 ons tempeh
2 eetlepels canola- of druivenpitolie
2 eetlepels sojasaus
$^{1}/_{2}$ theelepel vloeibare rook

Kook de tempeh in een middelgrote pan met kokend water gedurende 30 minuten. Zet opzij om af te koelen, dep het droog en snijd het in reepjes van $^{1}/_{8}$ inch.

Verhit de olie in een grote koekenpan op middelhoog vuur. Voeg de plakjes tempeh toe en bak aan beide kanten tot ze bruin zijn, ongeveer 3 minuten per kant. Besprenkel met de sojasaus en de vloeibare rook en pas op dat je niet spettert. Draai de tempeh om te coaten. Heet opdienen.

21. Spaghetti En T-ballen

Maakt 4 porties

- 1 pond tempé
- 2 of 3 teentjes knoflook, fijngehakt
- 3 eetlepels fijngehakte verse peterselie
- 3 eetlepels sojasaus
- 1 eetlepel olijfolie, plus meer voor het koken
- ¾ kopje vers broodkruimels
- 1/3 kop tarweglutenmeel (vitale tarwegluten)
- 3 eetlepels edelgist
- 1/2 theelepel gedroogde oregano
- 1/2 theelepel zout
- 1/4 theelepel versgemalen zwarte peper

- 1 pond spaghetti
- 3 kopjes marinarasaus, zelfgemaakt (zie links) of in de winkel gekocht

Kook de tempeh in een middelgrote pan met kokend water gedurende 30 minuten. Laat goed uitlekken en snij in stukjes.

Doe de gekookte tempeh in een keukenmachine, voeg de knoflook en peterselie toe en pulseer tot het grof gemalen is. Voeg de sojasaus, olijfolie, broodkruimels, glutenmeel, gist, oregano, zout en zwarte peper toe en pulseer om te combineren, zodat er wat textuur overblijft. Schraap het tempehmengsel in een kom en kneed het mengsel met je handen tot het goed gemengd is, 1 tot 2 minuten. Gebruik je handen om het mengsel in kleine balletjes te rollen, niet groter dan 1 $^{1}/_{2}$ inch in diameter. Herhaal met het resterende tempehmengsel.

Verhit een dun laagje olie in een licht geoliede grote koekenpan op middelhoog vuur. Voeg de T-balletjes toe, indien nodig in batches, en kook tot ze bruin zijn, verplaats ze indien nodig in de pan voor een gelijkmatige bruining, 15 tot 20 minuten. Als alternatief kunt u de T-ballen op een met olie ingevette bakplaat leggen en gedurende 25 tot 30 minuten op 350 ° F bakken, waarbij u ze halverwege een keer omdraait.

Kook de spaghetti in een grote pan met kokend gezouten water op middelhoog vuur, af en toe roerend, tot ze beetgaar zijn, ongeveer 10 minuten.

Terwijl de spaghetti kookt, verwarm je de Marinara-saus in een middelgrote pan op middelhoog vuur tot hij heet is.

Wanneer de pasta gaar is, goed laten uitlekken en over 4 borden of ondiepe pastakommen verdelen. Bestrijk elke portie met een paar T-balletjes. Schep de saus over de T-Balls en spaghetti en serveer warm. Combineer de resterende T-ballen en saus in een serveerschaal en serveer.

22. Paglia E Fieno met Erwten

Maakt 4 porties

- $^{1}/_{3}$ kopje plus 1 eetlepel olijfolie
- 2 middelgrote sjalotjes, fijngehakt
- $^{1}/_{4}$ kop gehakt tempeh-spek, zelfgemaakt (zie Tempeh Bacon) of in de winkel gekocht (optioneel)
- Zout en versgemalen zwarte peper
- 8 ons gewone of volkoren linguine
- 8 ons spinazielinguine
- Veganistische Parmezaanse kaas of Parmasio

Verhit 1 eetlepel olie in een grote koekenpan op middelhoog vuur. Voeg de sjalotjes toe en kook tot ze gaar zijn, ongeveer 5 minuten. Voeg eventueel het tempehspek toe en bak tot het mooi bruin is. Roer de champignons erdoor en kook tot ze zacht zijn, ongeveer 5 minuten. Breng op smaak met zout en peper. Roer de erwten en de resterende $^1/_3$ kopje olie erdoor. Dek af en houd warm op zeer laag vuur.

Kook de linguine in een grote pan met kokend gezouten water op middelhoog vuur, af en toe roerend, tot ze beetgaar zijn, ongeveer 10 minuten. Laat goed uitlekken en doe het in een grote serveerschaal.

Voeg de saus toe, breng op smaak met peper en zout en bestrooi met Parmezaanse kaas. Meng voorzichtig om te combineren en serveer onmiddellijk.

SEITAN

23. Basis Gesudderde Seitan

Maakt ongeveer 2 pond

Seitan

- 1¾ kopjes tarweglutenmeel (vitale tarwegluten)
- ½ theelepel zout
- ½ theelepel uienpoeder
- ¼ theelepel zoete paprika
- 1 eetlepel olijfolie
- 2 eetlepels sojasaus
- 1 ⅔ kopjes koud water

Sudderende vloeistof:

- 2 liter water
- 1/2 kop sojasaus
- 2 teentjes knoflook, geperst

Maak de seitan: Meng in een keukenmachine het tarweglutenmeel, edelgist, zout, uienpoeder en paprikapoeder. Pulseer om te mengen. Voeg de olie, sojasaus en water toe en laat een minuut draaien tot een deeg. Stort het mengsel op een licht met bloem bestoven werkoppervlak en kneed het ongeveer 2 minuten tot het glad en elastisch is.

Maak de sudderende vloeistof: combineer het water, de sojasaus en de knoflook in een grote pan.

Verdeel het seitandeeg in 4 gelijke stukken en leg deze in het kokende vocht. Breng het geheel aan de kook op middelhoog vuur, zet het vuur middelhoog, dek af en laat zachtjes sudderen, af en toe draaiend, gedurende 1 uur. Zet het vuur uit en laat de seitan afkoelen in de vloeistof. Eenmaal afgekoeld kan de seitan in recepten worden gebruikt of in de vloeistof in een goed afgesloten verpakking maximaal een week worden gekoeld of maximaal 3 maanden worden ingevroren.

24. Gevulde Gebakken Seitanbraadstuk

Maakt 6 porties

- 1 recept Basis Gesudderde Seitan , ongekookt
- 1 eetlepel olijfolie
- 1 kleine gele ui, gehakt
- 1 knolselderijrib, fijngehakt
- $^{1}/_{2}$ theelepel gedroogde tijm
- $^{1}/_{2}$ theelepel gedroogde salie
- $^{1}/_{2}$ kopje water, of meer indien nodig
- Zout en versgemalen zwarte peper
- 2 kopjes verse broodblokjes
- $^{1}/_{4}$ kop gehakte verse peterselie

Leg de rauwe seitan op een licht met bloem bestoven werkoppervlak en rek hem met licht met bloem bestoven handen uit tot hij plat en ongeveer 1,5 cm dik is. Leg de platgedrukte seitan tussen twee vellen plasticfolie of perkamentpapier. Gebruik een deegroller om het zo plat mogelijk te maken (het zal elastisch en resistent zijn). Leg er een bakplaat op, verzwaard met een liter water of ingeblikt voedsel en laat deze rusten terwijl je de vulling maakt.

Verhit de olie in een grote koekenpan op middelhoog vuur. Voeg de ui en selderij toe. Dek af en kook tot ze zacht zijn, 10 minuten. Roer de tijm, salie, water en zout en peper naar smaak erdoor. Haal van het vuur en zet opzij. Doe het brood en de peterselie in een grote mengkom. Voeg het uienmengsel toe en meng goed. Voeg eventueel nog wat water toe als de vulling te droog is. Proef, pas eventueel de smaakmakers aan. indien nodig. Opzij zetten.

Verwarm de oven voor op 350 ° F. Vet een bakvorm van 9 x 13 inch lichtjes in en zet opzij. Rol de platgedrukte seitan uit met een deegroller tot hij ongeveer $^{1}/_{4}$ inch dik is. Verdeel de vulling over het oppervlak van de vulling seitan en rol het voorzichtig en gelijkmatig op. Leg de braadslede met de naad naar beneden in de voorbereide bakvorm. Wrijf een beetje olie op de bovenkant en zijkanten van het braadstuk en bak, afgedekt gedurende 45 minuten, haal het dan los en bak tot het stevig en glanzend bruin is, ongeveer 15 minuten langer.

Haal het uit de oven en laat het 10 minuten rusten voordat je het aansnijdt. Gebruik een gekarteld mes om het in plakjes van $^1/_2$ inch te snijden. Opmerking: Om het snijden gemakkelijker te maken, maakt u het braadstuk vooraf klaar en laat u het volledig afkoelen voordat u het gaat snijden. Snijd het vlees geheel of gedeeltelijk in plakjes en verwarm het vervolgens 15 tot 20 minuten in de oven, goed afgedekt, voordat u het serveert.

25. Seitan stoofvlees

Maakt 4 porties

- 1 recept Basis Gesudderde Seitan
- 2 eetlepels olijfolie
- 3 tot 4 middelgrote sjalotten, in de lengte gehalveerd
- 1 pond Yukon Gold-aardappelen, geschild en in stukjes van 2 inch gesneden
- $^{1}/_{2}$ theelepel gedroogd bonenkruid
- $^{1}/_{4}$ theelepel gemalen salie
- Zout en versgemalen zwarte peper
- Mierikswortel, om te serveren

Volg de aanwijzingen voor het maken van Basis Gesudderde Seitan, maar verdeel het seitandeeg in 2 stukken in plaats van 4 voordat u het laat sudderen. Nadat de seitan 30 minuten in de bouillon is afgekoeld, haalt u hem uit de pan en zet u hem opzij. Bewaar het kookvocht en gooi eventuele vaste stoffen weg. Bewaar 1 stuk seitan (ongeveer 1 pond) voor toekomstig gebruik door het in een kom te plaatsen en te bedekken met een deel van het bewaarde kookvocht. Dek af en zet in de koelkast tot het nodig is. Als u de seitan niet binnen 3 dagen gebruikt, laat hem dan volledig afkoelen, wikkel hem stevig in en vries hem in.

Verhit 1 eetlepel olie in een grote pan op middelhoog vuur. Voeg de sjalotten en wortels toe. Dek af en kook gedurende 5 minuten. Voeg de aardappelen, tijm, bonenkruid, salie en zout en peper naar smaak toe. Voeg 1 $^{1}/_{2}$ kopjes gereserveerde kookvloeistof toe en breng aan de kook. Zet het vuur laag en kook, afgedekt, gedurende 20 minuten.

Wrijf de achtergehouden seitan in met de resterende 1 eetlepel olie en de paprika. Leg de seitan op de kokende groenten. Dek af en blijf koken tot de groenten gaar zijn, nog ongeveer 20 minuten. Snijd de seitan in dunne plakjes en schik ze op een grote serveerschaal omringd door de gekookte groenten. Serveer onmiddellijk, met mierikswortel ernaast.

26. Thanksgiving-diner met bijna één gerecht

Maakt 6 porties

- 2 eetlepels olijfolie
- 1 kopje fijngehakte ui
- 2 bleekselderijribben, fijngehakt
- 2 kopjes gesneden witte champignons
- 1/2 theelepel gedroogde tijm
- 1/2 theelepel gedroogd bonenkruid
- 1/2 theelepel gemalen salie
- Snuf gemalen nootmuskaat
- Zout en versgemalen zwarte peper
- 2 kopjes verse broodblokjes

- 2 1/2 kopjes groentebouillon, zelfgemaakt (zie Lichte groentebouillon) of in de winkel gekocht
- 1/3 kop gezoete gedroogde veenbessen
- 8 ons extra stevige tofu, uitgelekt en in plakjes van 1/4 inch gesneden
- 8 ons seitan, zelfgemaakt of in de winkel gekocht, heel dun gesneden
- 2 1/2 kopjes Basis Aardappelpuree
- 1 vel diepvriesbladerdeeg, ontdooid

Verwarm de oven voor op 400 ° F. Vet een vierkante ovenschaal van 10 inch lichtjes in. Verhit de olie in een grote koekenpan op middelhoog vuur. Voeg de ui en selderij toe. Dek af en kook tot het zacht is, ongeveer 5 minuten. Roer de champignons, tijm, bonenkruid, salie, nootmuskaat en zout en peper naar smaak erdoor. Kook, onafgedekt, tot de champignons gaar zijn, ongeveer 3 minuten langer. Opzij zetten.

Meng in een grote kom de broodblokjes met zoveel bouillon als nodig is om te bevochtigen (ca

1 1/2 kopjes) . Voeg het gekookte groentemengsel, walnoten en veenbessen toe. Roer goed door elkaar en zet opzij.

Breng in dezelfde koekenpan de resterende 1 kopje bouillon aan de kook, zet het vuur laag, voeg de tofu toe en laat onafgedekt sudderen tot de bouillon is opgenomen, ongeveer 10 minuten. Opzij zetten.

Verdeel de helft van de bereide vulling op de bodem van de voorbereide ovenschaal, gevolgd door de helft van de seitan, de helft van de tofu en de helft van de bruine saus. Herhaal de laagjes met de resterende vulling, seitan, tofu en saus.

27. Seitan Milanese met Panko en Citroen

Maakt 4 porties

- 2 kopjes panko
- $^{1}/_{4}$ kop gehakte verse peterselie
- $^{1}/_{2}$ theelepel zout
- $^{1}/_{4}$ theelepel versgemalen zwarte peper
- 1 pond seitan, zelfgemaakt of in de winkel gekocht, snijd plakjes van $^{1}/_{4}$ inch
- 2 eetlepels olijfolie
- 1 citroen, in partjes gesneden

Verwarm de oven voor op 250 ° F. Meng de panko, peterselie, zout en peper in een grote kom. Bevochtig de seitan met een beetje water en dompel hem in het pankomengsel.

Verhit de olie in een grote koekenpan op middelhoog vuur. Voeg de seitan toe en kook, één keer draaiend, goudbruin, indien nodig in batches. Leg de gekookte seitan op een bakplaat en houd hem warm in de oven terwijl je de rest kookt. Serveer onmiddellijk, met partjes citroen.

28. Seitan met sesamkorst

Maakt 4 porties

- $^{1}/_{3}$ kopje sesamzaadjes
- $^{1}/_{3}$ kop bloem voor alle doeleinden
- $^{1}/_{2}$ theelepel zout
- $^{1}/_{4}$ theelepel versgemalen zwarte peper
- $^{1}/_{2}$ kopje ongezoete sojamelk
- 1 pond seitan, zelfgemaakte of in de winkel gekochte seitan, in plakjes van $^{1}/_{4}$ inch gesneden
- 2 eetlepels olijfolie

Doe de sesamzaadjes in een droge koekenpan op middelhoog vuur en rooster ze tot ze licht goudbruin zijn, onder voortdurend roeren, 3 tot 4 minuten. Laat ze afkoelen en maal ze vervolgens in een keukenmachine of kruidenmolen.

Doe de gemalen sesamzaadjes in een ondiepe kom, voeg de bloem, het zout en de peper toe en meng goed. Doe de sojamelk in een ondiepe kom. Doop de seitan in de sojamelk en vervolgens door het sesammengsel.

Verhit de olie in een grote koekenpan op middelhoog vuur. Voeg de seitan toe, indien nodig in batches, en kook tot ze aan beide kanten knapperig en goudbruin is, ongeveer 10 minuten. Serveer onmiddellijk.

29. Seitan Met Artisjokken En Olijven

Maakt 4 porties

- 2 eetlepels olijfolie
- 1 pond seitan, zelfgemaakt of in de winkel gekocht, in plakjes van 1/4 inch gesneden
- 2 teentjes knoflook, fijngehakt
- 1 blikje tomatenblokjes, uitgelekt
- 1 1/2 kopjes ingeblikte of bevroren (gekookte) artisjokharten, gesneden in plakjes van 1/4 inch
- 1 eetlepel kappertjes
- 2 eetlepels gehakte verse peterselie
- Zout en versgemalen zwarte peper
- 1 kopje Tofu Feta (optioneel)

Verwarm de oven voor op 250 ° F. Verhit 1 eetlepel olie in een grote koekenpan op middelhoog vuur. Voeg de seitan toe en bak aan beide kanten bruin, ongeveer 5 minuten. Doe de seitan op een hittebestendige schaal en houd warm in de oven.

Verhit in dezelfde koekenpan de resterende 1 eetlepel olie op middelhoog vuur. Voeg de knoflook toe en kook tot het geurig is, ongeveer 30 seconden. Voeg de tomaten, artisjokharten, olijven, kappertjes en peterselie toe. Breng op smaak met peper en zout en kook tot het heet is, ongeveer 5 minuten. Opzij zetten.

Leg de seitan op een serveerschaal, schep het groentemengsel erop en bestrooi eventueel met tofu-feta. Serveer onmiddellijk.

30. Seitan Met Ancho-Chipotlesaus

Maakt 4 porties

- 2 eetlepels olijfolie
- 1 middelgrote ui, gehakt
- 2 middelgrote wortels, gehakt
- 2 teentjes knoflook, fijngehakt
- 1 (28 ounce) kan geplette, in het vuur geroosterde tomaten
- $^1/_2$ kop groentebouillon, zelfgemaakt (zie Lichte groentebouillon) of in de winkel gekocht
- 2 gedroogde ancho chilipepers
- 1 gedroogde chipotle chili

- $^{1}/_{2}$ kopje gele maïsmeel
- $^{1}/_{2}$ theelepel zout
- $^{1}/_{4}$ theelepel versgemalen zwarte peper
- 1 pond seitan, zelfgemaakt of in de winkel gekocht, in plakjes van $^{1}/_{4}$ inch gesneden

Verhit 1 eetlepel olie in een grote pan op middelhoog vuur. Voeg de ui en de wortels toe, dek af en kook gedurende 7 minuten. Voeg de knoflook toe en kook 1 minuut. Roer de tomaten, de bouillon en de ancho en chipotle chilipepers erdoor. Laat het 45 minuten onafgedekt sudderen, giet de saus vervolgens in een blender en mix tot een gladde massa. Doe terug in de pan en houd warm op een zeer laag vuur.

Meng in een ondiepe kom de maïsmeel met het zout en de peper. Bagger de seitan in het maïsmeelmengsel en bestrijk het gelijkmatig.

Verhit de 2 resterende eetlepels olie in een grote koekenpan op middelhoog vuur. Voeg de seitan toe en kook tot hij aan beide kanten bruin is, in totaal ongeveer 8 minuten. Serveer onmiddellijk met de chilisaus.

31. Seitan Piccata

Maakt 4 porties

- 1 pond seitan, zelfgemaakt of in de winkel gekocht, in plakjes van $^{1}/_{4}$ inch gesneden Zout en versgemalen zwarte peper
- $^{1}/_{2}$ kopje bloem voor alle doeleinden
- 2 eetlepels olijfolie
- 1 middelgrote sjalot, fijngehakt
- 2 teentjes knoflook, fijngehakt
- 2 eetlepels kappertjes
- $^{1}/_{3}$ kopje witte wijn
- $^{1}/_{3}$ kop groentebouillon, zelfgemaakt (zie Lichte groentebouillon) of in de winkel gekocht
- 2 eetlepels vers citroensap
- 2 eetlepels veganistische margarine
- 2 eetlepels gehakte verse peterselie

Verwarm de oven voor op 275 ° F. Breng de seitan op smaak met peper en zout en haal hem door de bloem.

Verhit 2 eetlepels olie in een grote koekenpan op middelhoog vuur. Voeg de gebaggerde seitan toe en kook tot hij aan beide kanten lichtbruin is, ongeveer 10 minuten. Doe de seitan op een hittebestendige schaal en houd warm in de oven.

Verhit in dezelfde koekenpan de resterende 1 eetlepel olie op middelhoog vuur. Voeg de sjalot en knoflook toe, kook 2 minuten en roer dan de kappertjes, wijn en bouillon erdoor. Laat een minuut of twee sudderen om iets te laten inkoken, voeg dan het citroensap, de margarine en de peterselie toe en roer tot de margarine door de saus is gemengd. Giet de saus over de gebruinde seitan en serveer onmiddellijk.

32. Seitan met drie zaden

Maakt 4 porties

- 1/4 kopje ongezouten gepelde zonnebloempitten
- 1/4 kop ongezouten gepelde pompoenpitten (pepitas)
- 1/4 kopje sesamzaadjes
- ¾ kopje bloem voor alle doeleinden
- 1 theelepel gemalen koriander
- 1 theelepel gerookte paprikapoeder
- 1/2 theelepel zout
- 1/4 theelepel versgemalen zwarte peper
- 1 pond seitan, zelfgemaakt of in de winkel gekocht, in hapklare stukjes gesneden
- 2 eetlepels olijfolie

Meng de zonnebloempitten, pompoenpitten en sesamzaadjes in een keukenmachine en maal tot een poeder. Doe het mengsel in een ondiepe kom, voeg de bloem, koriander, paprikapoeder, zout en peper toe en roer om te combineren.

Bevochtig de stukken seitan met water en bagger het zaadmengsel er vervolgens volledig in.

Verhit de olie in een grote koekenpan op middelhoog vuur. Voeg de seitan toe en bak tot hij aan beide kanten lichtbruin en krokant is. Serveer onmiddellijk.

33. Fajita's zonder Grenzen

Maakt 4 porties

- 1 eetlepel olijfolie
- 1 kleine rode ui, gehakt
- 10 ons seitan, zelfgemaakt of in de winkel gekocht, in reepjes van $^1/_2$ inch gesneden
- $^1/_4$ kop ingeblikte hete of milde gehakte groene chilipepers
- Zout en versgemalen zwarte peper
- (25 cm) zachte bloemtortilla's
- 2 kopjes tomatensalsa, zelfgemaakt (zie Verse tomatensalsa) of in de winkel gekocht

Verhit de olie in een grote koekenpan op middelhoog vuur. Voeg de ui toe, dek af en kook tot hij zacht is, ongeveer 7 minuten. Voeg de seitan toe en kook, onafgedekt, gedurende 5 minuten.

Voeg de zoete aardappelen, chilipepers, oregano en zout en peper naar smaak toe en roer goed. Blijf koken tot het mengsel heet is en de smaken goed zijn gecombineerd, af en toe roeren, ongeveer 7 minuten.

Verwarm de tortilla's in een droge koekenpan. Plaats elke tortilla in een ondiepe kom. Schep het mengsel van seitan en zoete aardappel in de tortilla's en bedek ze elk met ongeveer $^{1}/_{3}$ kopje salsa. Strooi elk kom met 1 eetlepel olijven, indien gebruikt. Serveer onmiddellijk, met de resterende salsa ernaast.

34. Seitan met Groene Appel Relish

Maakt 4 porties

- 2 Granny Smith-appels, grof gesneden
- $^1/_2$ kop fijngehakte rode ui
- $^1/_2$ jalapeño chili, zonder zaadjes en fijngehakt
- 1 $^1/_2$ theelepels geraspte verse gember
- 2 eetlepels vers limoensap
- 2 theelepels agavenectar
- Zout en versgemalen zwarte peper
- 2 eetlepels olijfolie
- 1 pond seitan, zelfgemaakt of in de winkel gekocht, in plakjes van $^1/_2$ inch gesneden

Meng in een middelgrote kom de appels, ui, chili, gember, limoensap, agavenectar en zout en peper naar smaak. Opzij zetten.

Verhit de olie in een koekenpan op middelhoog vuur. Voeg de seitan toe en bak tot hij aan beide kanten bruin is, één keer draaien, ongeveer 4 minuten per kant. Breng op smaak met zout en peper. Voeg het appelsap toe en kook een minuut tot het indikt. Serveer onmiddellijk met de appelrelish.

35. Roerbak Seitan en Broccoli-Shiitake

Maakt 4 porties

- 2 eetlepels canola- of druivenpitolie
- 10 ons seitan, zelfgemaakt of in de winkel gekocht, in plakjes van 1/4 inch gesneden
- 3 teentjes knoflook, fijngehakt
- 2 theelepels geraspte verse gember
- groene uien, gehakt
- 1 middelgrote bos broccoli, in roosjes van 1 inch gesneden
- 3 eetlepels sojasaus
- 2 eetlepels droge sherry
- 1 theelepel geroosterde sesamolie
- 1 eetlepel geroosterde sesamzaadjes

Verhit 1 eetlepel olie in een grote koekenpan op middelhoog vuur. Voeg de seitan toe en kook, af en toe roerend, tot hij lichtbruin is, ongeveer 3 minuten. Doe de seitan in een kom en zet opzij.

Verhit in dezelfde koekenpan de resterende 1 eetlepel olie op middelhoog vuur. Voeg de champignons toe en kook, onder regelmatig roeren, tot ze bruin zijn, ongeveer 3 minuten. Roer de knoflook, gember en groene uien erdoor en kook 30 seconden langer. Voeg het champignonmengsel toe aan de gekookte seitan en zet opzij.

Voeg de broccoli en het water toe aan dezelfde koekenpan. Dek af en kook tot de broccoli heldergroen begint te worden, ongeveer 3 minuten. Ontdek en kook, onder regelmatig roeren, tot de vloeistof verdampt en de broccoli knapperig en gaar is, ongeveer 3 minuten langer.

Doe het mengsel van seitan en champignons terug in de pan. Voeg de sojasaus en sherry toe en roerbak tot de seitan en de groenten heet zijn, ongeveer 3 minuten. Besprenkel met de sesamolie en sesamzaadjes en serveer direct.

36. Seitanbrochettes met perziken

Maakt 4 porties

- $^{1}/_{3}$ kopje balsamicoazijn
- 2 eetlepels droge rode wijn
- 2 eetlepels lichtbruine suiker
- $^{1}/_{4}$ kop gehakte verse basilicum
- $^{1}/_{4}$ kop gehakte verse marjolein
- 2 eetlepels gehakte knoflook
- 2 eetlepels olijfolie
- 1 pond seitan, zelfgemaakt of in de winkel gekocht, in stukjes van 1 inch gesneden
- sjalotjes, in de lengte gehalveerd en geblancheerd
- Zout en versgemalen zwarte peper
- 2 rijpe perziken, ontpit en in stukjes van 1 inch gesneden

Meng de azijn, wijn en suiker in een kleine pan en breng aan de kook. Zet het vuur middelhoog en laat al roerend sudderen tot de helft is ingekookt, ongeveer 15 minuten. Haal van het vuur.

Meng de basilicum, marjolein, knoflook en olijfolie in een grote kom. Voeg de seitan, sjalotjes en perziken toe en roer om. Breng op smaak met zout en peper

Verwarm de grill voor. * Rijg de seitan, sjalotjes en perziken op de spiesjes en bestrijk ze met het balsamicomengsel.

Leg de brochettes op de grill en bak tot de seitan en de perziken gegrild zijn, ongeveer 3 minuten per kant. Bestrijk met het resterende balsamicomengsel en serveer onmiddellijk.

* In plaats van grillen kun je deze brochettes ook onder de grill leggen. Rooster op 10 tot 15 centimeter van het vuur tot het heet en lichtbruin is aan de randen, ongeveer 10 minuten, en draai het halverwege een keer om.

37. Gegrilde Seitan en Groenten Kabobs

Maakt 4 porties

- 1/3 kopje balsamicoazijn
- 2 eetlepels olijfolie
- 1 eetlepel gehakte verse oregano of 1 theelepel gedroogde
- 2 teentjes knoflook, fijngehakt
- 1/2 theelepel zout
- 1/4 theelepel versgemalen zwarte peper
- 1 pond seitan, zelfgemaakt of in de winkel gekocht, in blokjes van 1 inch gesneden
- 7 ons kleine witte champignons, licht gespoeld en drooggedept
- 2 kleine courgettes, in stukjes van 1 inch gesneden
- 1 middelgrote gele paprika, in vierkantjes van 1 inch gesneden
- rijpe kerstomaatjes

Meng in een middelgrote kom de azijn, olie, oregano, tijm, knoflook, zout en zwarte peper. Voeg de seitan, champignons, courgette, paprika en tomaten toe en draai ze om. Marineer bij kamertemperatuur gedurende 30 minuten, af en toe keren. Giet de seitan en groenten af en bewaar de marinade.

Verwarm de grill voor. *Rijg de seitan, champignons en tomaten aan spiesjes.

Plaats de spiesjes op de hete grill en bak, waarbij u de kabobs halverwege het grillen een keer omdraait, in totaal ongeveer 10 minuten. Besprenkel met een kleine hoeveelheid van de gereserveerde marinade en serveer onmiddellijk.

*In plaats van grillen kun je deze spiesjes ook onder de grill leggen. Rooster op 10 tot 15 centimeter van het vuur tot het heet en lichtbruin is aan de randen, ongeveer 10 minuten, en draai halverwege het braden een keer om.

38. Seitan En Croute

Maakt 4 porties

- 1 eetlepel olijfolie
- 2 middelgrote sjalotten, fijngehakt
- ons witte champignons, fijngehakt
- 1/4 kopje Madeira _
- 1 eetlepel gehakte verse peterselie
- 1/2 theelepel gedroogde tijm
- 1/2 theelepel gedroogd bonenkruid
- 2 kopjes fijngehakte droge broodblokjes
- Zout en versgemalen zwarte peper
- 1 bevroren bladerdeegblad, ontdooid
- (1/4 inch dik) seitanschijfjes van ongeveer 3 x 4 inch ovalen of rechthoeken, drooggedept

Verhit de olie in een grote koekenpan op middelhoog vuur. Voeg de sjalotjes toe en kook tot ze zacht zijn, ongeveer 3 minuten. Voeg de champignons toe en kook, af en toe roerend, tot de champignons zacht zijn, ongeveer 5 minuten. Voeg de Madiera, peterselie, tijm en bonenkruid toe en kook tot de vloeistof bijna is verdampt. Roer de broodblokjes erdoor en breng op smaak met peper en zout. Zet opzij om af te koelen.

Leg het bladerdeegvel op een groot stuk plasticfolie op een vlak werkoppervlak. Leg er nog een stuk plasticfolie op en rol het deeg met een deegroller iets uit, zodat het glad wordt. Snijd het deeg in vieren. Leg in het midden van elk stuk deeg 1 plakje seitan. Verdeel de vulling erover, zodat de seitan bedekt is. Beleg elk gerecht met de resterende plakjes seitan. Vouw het deeg op om de vulling te omsluiten en druk de randen met uw vingers dicht. Plaats de deegpakketjes met de naad naar beneden op een grote, niet-ingevette bakplaat en zet ze 30 minuten in de koelkast. Verwarm de oven voor op 400 ° F. Bak tot de korst goudbruin is, ongeveer 20 minuten. Serveer onmiddellijk.

39. Seitan en Aardappeltorta

Maakt 6 porties

- 2 eetlepels olijfolie
- 1 middelgrote gele ui, fijngehakt
- 4 kopjes gehakte verse babyspinazie of snijbiet
- 8 ons seitan, zelfgemaakt of in de winkel gekocht, fijngehakt
- 1 theelepel gehakte verse marjolein
- $^{1}/_{2}$ theelepel gemalen venkelzaad
- $^{1}/_{4}$ tot $^{1}/_{2}$ theelepel gemalen rode peper
- Zout en versgemalen zwarte peper
- 2 pond Yukon Gold-aardappelen, geschild en in plakjes van $^{1}/_{4}$ inch gesneden
- $^{1}/_{2}$ kop veganistische Parmezaanse kaas of Parmasio

Verwarm de oven voor op 400 ° F. Vet een braadpan van 3 liter of een bakvorm van 9 x 13 inch lichtjes in en zet opzij.

Verhit 1 eetlepel olie in een grote koekenpan op middelhoog vuur. Voeg de ui toe, dek af en kook tot hij zacht is, ongeveer 7 minuten. Voeg de spinazie toe en kook, onafgedekt, tot ze verwelkt is, ongeveer 3 minuten. Roer de seitan, marjolein, venkelzaad en gemalen rode peper erdoor en kook tot alles goed gemengd is. Breng op smaak met zout en peper. Opzij zetten.

Verdeel de plakjes tomaat op de bodem van de voorbereide pan. Leg er een laag licht overlappende aardappelschijfjes op. Bestrijk de aardappellaag met wat van de resterende 1 eetlepel olie en breng op smaak met zout en peper. Verdeel ongeveer de helft van het seitan-spinaziemengsel over de aardappelen. Leg er nog een laag aardappelen op, gevolgd door het resterende mengsel van seitan en spinazie. Leg er een laatste laag aardappelen op, besprenkel met de resterende olie en zout en peper naar smaak. Bestrooi met de Parmezaanse kaas. Dek af en bak tot de aardappelen gaar zijn, 45 minuten tot 1 uur. Ontdek en bak verder om de bovenkant bruin te maken, 10 tot 15 minuten. Serveer onmiddellijk.

40. Rustieke Cottagetaart

Voor 4 tot 6 porties

- Yukon Gold-aardappelen, geschild en in dobbelsteentjes van 1 inch gesneden
- 2 eetlepels veganistische margarine
- $^{1}/_{4}$ kopje ongezoete sojamelk
- Zout en versgemalen zwarte peper
- 1 eetlepel olijfolie

- 1 middelgrote gele ui, fijngehakt
- 1 middelgrote wortel, fijngehakt
- 1 knolselderijrib, fijngehakt
- ons seitan, zelfgemaakt of in de winkel gekocht, fijngehakt
- 1 kopje bevroren erwten
- 1 kopje bevroren maïskorrels
- 1 theelepel gedroogd bonenkruid
- 1/2 theelepel gedroogde tijm

Kook de aardappelen in een pan met kokend gezouten water tot ze gaar zijn, 15 tot 20 minuten. Laat goed uitlekken en doe terug in de pot. Voeg de margarine, sojamelk en zout en peper naar smaak toe. Pureer grof met een aardappelstamper en zet opzij. Verwarm de oven voor op 350 ° F.

Verhit de olie in een grote koekenpan op middelhoog vuur. Voeg de ui, wortel en selderij toe. Dek af en kook tot ze gaar zijn, ongeveer 10 minuten. Breng de groenten over naar een bakvorm van 9 x 13 inch. Roer de seitan, champignonsaus, erwten, maïs, bonenkruid en tijm erdoor. Breng op smaak met peper en zout en verdeel het mengsel gelijkmatig in de bakvorm.

Bestrijk met de aardappelpuree en verspreid deze naar de randen van de bakvorm. Bak tot de aardappelen bruin zijn en de vulling bubbelt, ongeveer 45 minuten. Serveer onmiddellijk.

41. Seitan met Spinazie en Tomaten

Maakt 4 porties

- 2 eetlepels olijfolie
- 1 pond seitan, zelfgemaakt of in de winkel gekocht, in reepjes van $^{1}/_{4}$ inch gesneden
- Zout en versgemalen zwarte peper
- 3 teentjes knoflook, fijngehakt
- 4 kopjes verse babyspinazie
- in olie verpakte zongedroogde tomaten, in reepjes van $^{1}/_{4}$ inch gesneden
- $^{1}/_{2}$ kop ontpitte Kalamata-olijven, gehalveerd
- 1 eetlepel kappertjes
- $^{1}/_{4}$ theelepel gemalen rode peper

Verhit de olie in een grote koekenpan op middelhoog vuur. Voeg de seitan toe, breng op smaak met zout en zwarte peper en kook tot hij bruin is, ongeveer 5 minuten per kant.

Voeg de knoflook toe en kook 1 minuut om zacht te worden. Voeg de spinazie toe en kook tot deze geslonken is, ongeveer 3 minuten. Roer de tomaten, olijven, kappertjes en gemalen rode peper erdoor. Breng op smaak met zout en zwarte peper. Kook al roerend tot de smaken zijn gemengd, ongeveer 5 minuten

Serveer onmiddellijk.

42. Seitan en Gegratineerde Aardappelen

Maakt 4 porties

- 2 eetlepels olijfolie
- 1 kleine gele ui, gehakt
- 1/4 kop gehakte groene paprika
- grote Yukon Gold-aardappelen, geschild en in plakjes van 1/4 inch gesneden
- 1/2 theelepel zout
- 1/4 theelepel versgemalen zwarte peper
- 10 ons seitan, zelfgemaakt of in de winkel gekocht, gehakt
- 1/2 kopje ongezoete sojamelk
- 1 eetlepel veganistische margarine
- 2 eetlepels gehakte verse peterselie, als garnering

Verwarm de oven voor op 350 ° F. Vet een vierkante bakvorm van 10 inch lichtjes in en zet opzij.

Verhit de olie in een koekenpan op middelhoog vuur. Voeg de ui en paprika toe en kook tot ze zacht zijn, ongeveer 7 minuten. Opzij zetten.

Leg de helft van de aardappelen in de voorbereide bakvorm en bestrooi ze met zout en zwarte peper naar smaak. Strooi het uien-paprikamengsel en de gehakte seitan over de aardappelen. Beleg met de overige aardappelschijfjes en breng op smaak met zout en zwarte peper.

Meng in een middelgrote kom de bruine saus en de sojamelk tot ze goed gemengd zijn. Giet over de aardappelen. Bestrijk de bovenste laag met margarine en dek goed af met folie. Bak gedurende 1 uur. Verwijder de folie en bak nog eens 20 minuten of tot de bovenkant goudbruin is. Serveer onmiddellijk, bestrooid met de peterselie.

43. Koreaanse noedelroerbak

Maakt 4 porties

- 8 ons dang myun of bonendraadnoedels
- 2 eetlepels geroosterde sesamolie
- 1 eetlepel suiker
- $^{1}/_{4}$ theelepel zout
- $^{1}/_{4}$ theelepel gemalen cayennepeper
- 2 eetlepels canola- of druivenpitolie
- 8 ons seitan, zelfgemaakt of in de winkel gekocht, in reepjes van $^{1}/_{4}$ inch gesneden
- 1 middelgrote ui, in de lengte gehalveerd en in dunne plakjes gesneden
- 1 middelgrote wortel, in dunne luciferstokjes gesneden
- 6 ons verse shiitake-paddenstoelen, zonder steel en in dunne plakjes gesneden
- 3 kopjes fijngesneden paksoi of andere Aziatische kool
- 3 groene uien, gehakt

- 3 teentjes knoflook, fijngehakt
- 1 kopje taugé
- 2 eetlepels sesamzaadjes, voor garnering

Week de noedels gedurende 15 minuten in heet water. Giet af en spoel onder koud water. Opzij zetten.

Meng in een kleine kom de sojasaus, sesamolie, suiker, zout en cayennepeper en zet opzij.

Verhit 1 eetlepel olie in een grote koekenpan op middelhoog vuur. Voeg de seitan toe en roerbak tot hij bruin is, ongeveer 2 minuten. Haal uit de koekenpan en zet opzij.

Voeg de resterende 1 eetlepel canola-olie toe aan dezelfde koekenpan en verwarm op middelhoog vuur. Voeg de ui en wortel toe en roerbak tot ze zacht zijn, ongeveer 3 minuten. Voeg de champignons, paksoi, groene uien en knoflook toe en roerbak tot ze zacht zijn, ongeveer 3 minuten.

Voeg de taugé toe en roerbak 30 seconden, voeg dan de gekookte noedels, de gebruinde seitan en het sojasausmengsel toe en roer tot alles bedekt is. Blijf koken, af en toe roeren, tot de ingrediënten heet en goed gecombineerd zijn, 3 tot 5 minuten. Doe het in een grote serveerschaal, bestrooi met sesamzaadjes en serveer onmiddellijk.

44. Jerk-gekruide rode bonen chili

Maakt 4 porties

- 1 eetlepel olijfolie
- 1 middelgrote ui, gehakt
- 10 ons seitan, zelfgemaakt of in de winkel gekocht, gehakt
- 3 kopjes gekookt of 2 (15,5 ounce) blikjes donkerrode bruine bonen, uitgelekt en gespoeld
- (14,5 ounce) kan tomaten vermalen
- (14,5 ounce) kan tomaten in blokjes snijden, uitgelekt
- (4-ounce) kan milde of hete groene chilipepers fijnhakken, uitgelekt
- $^1/_2$ kop barbecuesaus, zelfgemaakt of in de winkel gekocht
- 1 kopje water
- 1 eetlepel sojasaus
- 1 eetlepel chilipoeder

- 1 theelepel gemalen komijn
- 1 theelepel gemalen piment
- 1 theelepel suiker
- 1/2 theelepel gemalen oregano
- 1/4 theelepel gemalen cayennepeper
- 1/2 theelepel zout
- 1/4 theelepel versgemalen zwarte peper

Verhit de olie in een grote pan op middelhoog vuur. Voeg de ui en seitan toe. Dek af en kook, tot de ui zacht is, ongeveer 10 minuten.

Roer de bruine bonen, geplette tomaten, tomatenblokjes en chilipepers erdoor. Roer de barbecuesaus, water, sojasaus, chilipoeder, komijn, piment, suiker, oregano, cayennepeper, zout en zwarte peper erdoor.

Breng aan de kook, zet het vuur middelhoog en laat afgedekt ongeveer 45 minuten sudderen tot de groenten gaar zijn. Ontdek en laat ongeveer 10 minuten langer sudderen. Serveer onmiddellijk.

45. Herfst Medley Stoofpot

Voor 4 tot 6 porties

- 2 eetlepels olijfolie
- 10 ons seitan, zelfgemaakt of in de winkel gekocht, gesneden in blokjes van 1 inch
- Zout en versgemalen zwarte peper
- 1 grote gele ui, gehakt
- 2 teentjes knoflook, fijngehakt
- 1 grote roodbruine aardappel, geschild en in dobbelsteentjes van $^1/_2$ inch gesneden
- 1 middelgrote pastinaak, in blokjes van $^1/_4$ inch gesneden, gehakt
- 1 kleine flespompoen, geschild, gehalveerd, zonder zaadjes en in dobbelsteentjes van $^1/_2$ inch gesneden
- 1 kleine kop savooiekool, gehakt
- 1 blikje tomatenblokjes, uitgelekt
- 1 $^1/_2$ kopjes gekookt of 1 (15,5 ounce) blik kikkererwten, uitgelekt en gespoeld

- 2 kopjes groentebouillon, zelfgemaakt (zie Lichte groentebouillon) of in de winkel gekocht, of water
- 1/2 theelepel gedroogde marjolein
- 1/2 theelepel gedroogde tijm
- 1/2 kopje verkruimelde engelenhaarpasta

Verhit 1 eetlepel olie in een grote koekenpan op middelhoog vuur. Voeg de seitan toe en kook tot hij aan alle kanten bruin is, ongeveer 5 minuten. Breng op smaak met peper en zout en zet opzij.

Verhit de resterende 1 eetlepel olie in een grote pan op middelhoog vuur. Voeg de ui en knoflook toe. Dek af en kook tot het zacht is, ongeveer 5 minuten. Voeg de aardappel, wortel, pastinaak en pompoen toe. Dek af en kook tot het zacht is, ongeveer 10 minuten.

Roer de kool, tomaten, kikkererwten, bouillon, wijn, marjolein, tijm en zout en peper naar smaak erdoor. Breng aan de kook en zet het vuur laag. Dek af en kook, af en toe roerend, tot de groenten gaar zijn, ongeveer 45 minuten. Voeg de gekookte seitan en de pasta toe en laat sudderen tot de pasta gaar is en de smaken vermengd zijn, ongeveer 10 minuten langer. Serveer onmiddellijk.

46. Italiaanse Rijst Met Seitan

Maakt 4 porties

- 2 kopjes water
- 1 kopje langkorrelige bruine of witte rijst
- 2 eetlepels olijfolie
- 1 middelgrote gele ui, gehakt
- 2 teentjes knoflook, fijngehakt
- 10 ons seitan, zelfgemaakt of in de winkel gekocht, gehakt
- 4 ons witte champignons, gehakt
- 1 theelepel gedroogde basilicum
- $^{1}/_{2}$ theelepel gemalen venkelzaad
- $^{1}/_{4}$ theelepel gemalen rode peper
- Zout en versgemalen zwarte peper

Breng het water in een grote pan op hoog vuur aan de kook. Voeg de rijst toe, zet het vuur laag, dek af en kook tot hij gaar is, ongeveer 30 minuten.

Verhit de olie in een grote koekenpan op middelhoog vuur. Voeg de ui toe, dek af en kook tot hij zacht is, ongeveer 5 minuten. Voeg de seitan toe en kook onafgedekt tot hij bruin is. Roer de champignons erdoor en kook tot ze gaar zijn, ongeveer 5 minuten langer. Roer de basilicum, venkel, gemalen rode peper en zout en zwarte peper naar smaak erdoor.

Doe de gekookte rijst in een grote serveerschaal. Roer het seitanmengsel erdoor en meng goed. Voeg een royale hoeveelheid zwarte peper toe en serveer onmiddellijk.

47. Twee-aardappelhasj

Maakt 4 porties

- 2 eetlepels olijfolie
- 1 middelgrote rode ui, gehakt
- 1 middelgrote rode of gele paprika, gehakt
- 1 gekookte middelgrote roodbruine aardappel, geschild en in blokjes van 1⁄2 inch gesneden
- 1 gekookte middelgrote zoete aardappel, geschild en in blokjes van 1⁄2 inch gesneden
- 2 kopjes gehakte seitan, zelfgemaakt
- Zout en versgemalen zwarte peper

48. Verhit de olie in een grote koekenpan op middelhoog vuur. Voeg de ui en paprika toe. Dek af en kook tot het zacht is, ongeveer 7 minuten.

49. Voeg de witte aardappel, zoete aardappel en seitan toe en breng op smaak met peper en zout. Kook, onafgedekt,

tot het lichtbruin is, onder regelmatig roeren, ongeveer 10 minuten. Heet opdienen.

48. **Zure Room Seitan Enchiladas**

SERVEERT 8

INGREDIËNTEN

Seitan

- 1 kopje vitaal tarweglutenmeel
- 1/4 kopje kikkererwtenmeel
- 1/4 kopje voedingsgist
- 1 theelepel uienpoeder
- 1/2 theelepel knoflookpoeder
- 1 1/2 theelepel groentebouillonpoeder
- 1/2 kopje water
- 2 eetlepels vers geperst citroensap
- 2 eetlepels sojasaus
- 2 kopjes groentebouillon

Zure Roomsaus

- 2 eetlepels veganistische margarine

- 2 eetlepels bloem
- 1 1/2 kopjes groentebouillon
- 2 (8 oz) dozen veganistische zure room
- 1 kopje salsa verde (tomatillo-salsa)
- 1/2 theelepel zout
- 1/2 theelepel gemalen witte peper
- 1/4 kop gehakte koriander

Enchiladas

- 2 eetlepels olijfolie
- 1/2 middelgrote ui, in blokjes gesneden
- 2 teentjes knoflook, fijngehakt
- 2 serranopepers, fijngehakt (zie tip)
- 1/4 kop tomatenpuree
- 1/4 kopje water
- 1 eetlepel komijn
- 2 eetlepels chilipoeder
- 1 theelepel zout
- 15-20 maïstortilla's
- 1 (8 oz) pakket Daiya Cheddar-stijl snippers
- 1/2 kop gehakte koriander

METHODE

a) Bereid de seitan voor. Verwarm de oven voor op 325 graden Fahrenheit. Vet een braadpan met deksel lichtjes in met antiaanbakspray. Meng het meel, de edelgist, de kruiden en het groentebouillonpoeder in een grote kom. Meng het water, het citroensap en de sojasaus in een kleine kom. Voeg de natte ingrediënten toe aan de droge ingrediënten en roer tot er een deeg ontstaat. Pas de hoeveelheid water of gluten naar behoefte aan (zie tip).

Kneed het deeg gedurende 5 minuten en vorm het dan tot een brood. Doe de seitan in de ovenschaal en bedek met 2 kopjes groentebouillon. Dek af en kook gedurende 40 minuten. Draai het brood om, dek af en laat nog eens 40 minuten koken. Haal de seitan uit de schaal en laat hem rusten tot hij voldoende koel is om te hanteren.

b) Steek een vork in de bovenkant van het seitanbrood en houd het met één hand op zijn plaats. Gebruik een tweede vork om het brood in kleine stukjes te versnipperen en te verkruimelen.

c) Bereid de zure roomsaus. Smelt de margarine in een grote pan op middelhoog vuur. Roer de bloem erdoor met een draadgarde en kook gedurende 1 minuut. Giet langzaam de groentebouillon erbij en blijf voortdurend kloppen tot een gladde massa. Kook gedurende 5 minuten, blijf kloppen, tot de saus dikker is geworden. Klop de zure room en de salsa verde erdoor en roer de resterende sausingrediënten erdoor. Laat het niet koken, maar kook tot het gaar is. Haal van het vuur en zet opzij.

d) Bereid de enchiladas voor. Verhit olijfolie in een grote pan op middelhoog vuur. Voeg de ui toe en kook 5 minuten of tot ze doorschijnend is. Voeg knoflook en Serrano-pepers toe en kook nog 1 minuut. Roer de geraspte seitan, tomatenpuree, komijn, chilipoeder en zout erdoor. Kook 2 minuten en haal dan van het vuur.

e) Verwarm de oven voor op 350 graden Fahrenheit. Verwarm de tortilla's in een koekenpan of in de magnetron en dek af met een theedoek. Verdeel 1 kopje zure roomsaus over de bodem van een ovenschaal van 5 liter. Plaats een klein kopje van het geraspte seitanmengsel en 1 eetlepel Daiya op een tortilla. Rol het op en leg het met de naad naar beneden in de ovenschaal. Herhaal met de resterende tortilla's. Bestrijk de enchiladas met de overgebleven zure roomsaus en besprenkel met Daiya.

f) Bak de enchiladas gedurende 25 minuten of tot ze borrelen en lichtbruin zijn. Laat 10 minuten afkoelen. Bestrooi met 1/2 kopje gehakte koriander en serveer.

49. Veganistisch gevuld seitangebraad

Ingrediënten

Voor de seitan:

- 4 grote teentjes knoflook
- 350 ml groentebouillon koud
- 2 eetlepels zonnebloemolie
- 1 theelepel Marmite optioneel
- 280 g vitale tarwegluten

- 3 eetlepels edelgistvlokken
- 2 theelepel zoete paprika
- 2 theelepels groentebouillonpoeder
- 1 theelepel verse rozemarijnnaalden
- ½ theelepel zwarte peper

Plus:

- 500 g Veganistische Rode Kool- en Champignonvulling
- 300 g Pittige Pompoenpuree
- Metrisch – gebruikelijk in de VS

Instructies

a) Verwarm uw oven voor op 180°C (350°F/gasstand 4).
b) Meng in een grote mengkom de essentiële tarwegluten, edelgist, bouillonpoeder, paprika, rozemarijn en zwarte peper.
c) Gebruik een blender (aanrecht of onderdompeling) en meng de knoflook, bouillon, olie en marmite door elkaar, en voeg dan toe aan de droge ingrediënten.
d) Meng goed tot alles is opgenomen en kneed vervolgens vijf minuten. (notitie 1)
e) Rol de seitan op een groot stuk siliconen bakpapier uit tot een vaag rechthoekige vorm, tot hij ongeveer 1,5 cm dik is.
f) Bestrijk royaal met de pompoenpuree en voeg vervolgens een laag kool- en champignonvulling toe.
g) Gebruik het bakpapier en begin aan een van de korte uiteinden en rol de seitan voorzichtig op tot een blokvorm. Probeer de seitan niet uit te rekken terwijl je dit doet. Druk de uiteinden van de seitan samen om te sluiten.

h) Wikkel de boomstam stevig in aluminiumfolie. Als je folie dun is, gebruik dan twee of drie lagen.
i) (Ik wikkel de mijne in als een gigantische toffee – en draai de uiteinden van de folie strak om te voorkomen dat hij losraakt!)
j) Plaats de seitan rechtstreeks op een rooster in het midden van de oven en laat hem twee uur koken. Draai hem elke 30 minuten om, zodat hij gelijkmatig gaar en bruin wordt.
k) Laat het gevulde seitangebraad, zodra het gaar is, 20 minuten in de verpakking rusten voordat u het in stukken snijdt.
l) Serveer met traditionele geroosterde groenten, champignonjus en andere garnituren die je lekker vindt.

50. Cubaanse Seitansandwich

Ingrediënten

- Mojo geroosterde seitan:
- 3/4 kop vers sinaasappelsap
- 3 eetlepels vers limoensap
- 3 eetlepels olijfolie
- 4 teentjes knoflook, fijngehakt
- 1 theelepel gedroogde oregano
- 1/2 theelepel gemalen komijn
- 1/2 theelepel zout
- 1/2 pond seitan, gesneden in plakjes van 1/4 inch dik

Voor montage:

- 4 (15 tot 20 cm lange) veganistische onderzeese sandwichbroodjes, of 1 zacht veganistisch Italiaans brood, in de breedte in 4 stukken gesneden
- Veganistische boter, op kamertemperatuur, of olijfolie
- Gele mosterd

- 1 kopje brood-en-boter augurkplakken 8 plakjes veganistische ham uit de winkel
- 8 plakjes mild smakende veganistische kaas (bij voorkeur Amerikaanse of gele kaassmaak)

Routebeschrijving

a) Bereid de seitan voor: Verwarm de oven voor op 375 ° F. Klop alle mojo-ingrediënten, behalve de seitan, door elkaar in een keramische of glazen bakvorm van 18 x 23 cm. Voeg de seitanreepjes toe en roer om met de marinade. Rooster gedurende 10 minuten en draai de plakjes vervolgens één keer om, totdat de randen lichtbruin zijn en er nog wat sappige marinade overblijft (niet te lang bakken!). Haal uit de oven en zet opzij om af te koelen.
b) Stel de sandwiches samen: Snijd elk broodje of stuk brood horizontaal doormidden en bestrijk beide helften royaal met de boter of bestrijk ze met olijfolie. Smeer op de onderste helft van elke rol een dikke laag mosterd, een paar plakjes augurk, twee plakjes ham en een vierde van de plakjes seitan, en beleg met twee plakjes kaas.
c) Dep een beetje van de overgebleven marinade op de gesneden kant van de andere helft van de rol en leg deze bovenop de onderste helft van de sandwich. Bestrijk de buitenkant van de sandwich met nog wat olijfolie of besmeer met de boter.
d) Verwarm een gietijzeren pan van 10 tot 12 inch voor op middelhoog vuur. Leg voorzichtig twee sandwiches in de pan en leg er iets zwaars en hittebestendigs op, zoals een andere gietijzeren pan of een baksteen bedekt met meerdere lagen stevig aluminiumfolie. Grill de sandwich gedurende 3 tot 4 minuten en let goed op dat het brood niet verbrandt; zet indien nodig het vuur iets lager terwijl de sandwich kookt.
e) Wanneer het brood er geroosterd uitziet, verwijdert u de pan/steen en gebruikt u een brede spatel om elke sandwich

voorzichtig om te draaien. Druk opnieuw met het gewicht en kook nog ongeveer 3 minuten, tot de kaas heet en smeltend is.

f) Verwijder het gewicht, leg elke sandwich op een snijplank en snij diagonaal in plakjes met een gekarteld mes. Serveer ho

CONCLUSIE

Tempeh heeft een sterkere nootachtige smaak, is dichter en bevat meer vezels en eiwitten. Seitan is stiekemer dan tempeh, omdat het vanwege zijn hartige smaak vaak voor vlees kan doorgaan. Als bonus bevat het ook meer eiwitten en minder koolhydraten.

Seitan is het minst plantaardige eiwit dat de minste voorbereiding vereist. In recepten kun je seitan meestal vervangen door vlees door gebruik te maken van een 1:1-substitutie. In tegenstelling tot vlees hoef je het niet te verwarmen voordat je het eet. Een van de beste manieren om het te gebruiken is als kruimels in een pastasaus.

Als het om tempeh gaat, is het belangrijk om goed te marineren. Marinade-opties kunnen bestaan uit sojasaus, limoen- of citroensap, kokosmelk, pindakaas, ahornsiroop, gember of kruiden. Als je geen uren hebt om je tempeh te marineren, kun je hem stomen met water om hem zachter en poreuzer te maken.

9 781835 643068

Printed by BoD™in Norderstedt, Germany